La Truffe

SAVEUR ET TRADITION

EVERGREEN is an imprint of Benedikt Taschen Verlag GmbH

© 1998 Benedikt Taschen Verlag GmbH
Hohenzollernring 53, D–50672 Köln
Conception : Patrik Jaros, Raffaella et Raoul Manuel Schnell
Recettes et présentation des plats : Patrik Jaros
Photographies : Raffaella et R. M. Schnell (photos des plats)
Conception graphique : Susanne Schaal
Textes : Otward Buchner
Traduction française : Catherine Henry, Nancy
Rédaction : Thierry Nebois, Cologne

Printed in Italy
ISBN 3-8228-7732-8

Tout est mystère, magie, sortilège, tout ce qui s'accomplit entre le moment de poser sur le feu la cocotte, le coquemar, la marmite et leur contenu, et le moment plein de douce anxiété, de voluptueux espoir, où vous décoiffez sur la table le plat fumant....

De la truffe, de l'homme et de la pauvre truie

Si une truie a de la veine, elle trouve une truffe. Arrive l'homme : sa chance s'arrête là. Ce dernier lui rafle presque toujours le fruit souterrain de sa convoitise sous le groin pour en faire beaucoup d'argent (la truffe coûte jusqu'à 12 000 francs le kilo). L'animal, lui, reçoit une pauvre petite betterave (6 francs le kilo), et puisqu'il doit passer à la casserole, il peut s'estimer heureux que ce ne soit pas dans l'année. Est-ce juste, je vous le demande ? Peut-être pas au sens du droit naturel, mais du point de vue du gourmet, oui. Car à partir du moment où quelqu'un est devenu fanatique de la truffe, il ne comprendra pas, même avec la meilleure volonté du monde, pourquoi un cochon aurait le droit de savourer ce vilain champignon, qui ressemble à un gnome tout couvert de verrues, mais dont le goût est d'autant plus divin. Eh oui, les gourmets sont ainsi !

La truffe :
un mystère ?

Depuis l'Antiquité, les hommes n'ont jamais très bien su ce qu'était la truffe. Tantôt minéral, tantôt végétal issu du tonnerre et de la foudre, elle était tenue dans le monde médiéval pour une émanation du démon. Si cette rumeur a été répandue par des représentants de l'Eglise hostiles aux plaisirs de la table, on est tout de même un peu moins obtus aujourd'hui. La truffe appartient à la famille des champignons ascomycètes. Ce qui nous fait rouler des yeux ronds et chercher nos mots, ce n'est pas à proprement parler le champignon, mais sa fructification, c'est-à-dire le résultat d'une reproduction souterraine. Le champignon proprement dit n'est autre en réalité qu'un réseau très ramifié de filaments et d'hyphes qui s'étend sur plusieurs mètres dans le sol, et qu'on appelle le mycélium. C'est de la rencontre entre les hyphes de différents types de champignons que résulte cette fructification, en l'occurrence la truffe. A condition que le temps soit de la partie et que le sol soit calcaire et riche en humus. A cela s'ajoute – ce qui complique encore la chose et d'autant la culture de la truffe – le phénomène du mycorhize. C'est ainsi qu'on désigne la relation étroite et parfois symbiotique qui s'établit entre les réseaux de champignons et les racines des arbres.

La répartition des tâches entre les deux partenaires obéit à des règles très précises : la truffe produit de l'azote, du phosphore, du potassium et d'autres choses aussi importantes, et la participation de l'arbre se traduit par un apport en hydrates de carbone. Mais la truffe ne conclut pas ce type d'accord avec le premier arbre venu. Non, il faut déjà que ce soit un érable, un bouleau, un tilleul ou un orme. Mais c'est avec le chêne qu'elle préfère contracter cette union quasi conjugale, et à laquelle nous devons l'existence de la truffe aromatique.

Son nom vient du fait qu'elle pousse dans le sol à une profondeur de 5 à 30 cm environ, ce qui en surface peut générer l'apparition de quelques monticules. C'est la raison pour laquelle le Moyen-Age a recouru à la désignation de « terrae tuffolae » (bas latin) qui, par contraction lexicale, a donné « tartuffole », puis l'italien « tartufo » et le français « truffe ».

La truffe,
une diva sensible
au temps qu'il fait

Ce qu'une truffe ne peut absolument pas supporter, ce sont les fortes gelées d'hiver et les étés secs. Le mois d'août en particulier doit être humide, chaud et très orageux. C'est le mois d'août qui fait la truffe. Et malheureusement aussi le vin. C'est ainsi qu'on a pu faire cette constatation surprenante : une très bonne année à truffes est malheureusement synonyme de mauvaises vendanges. Le vin affectionne en effet un temps modérément humide et sec, spécialement entre août et octobre.

C'est ainsi qu'en 1986, qui en France fut une excellente année à vin, la production de truffes chuta de 100 tonnes à 20 tonnes environ. A l'inverse, 1987, qui fut un échec total du point de vue viticole, a donné la récolte de truffes du siècle. Juste retour des choses ?

Tuber melanosporum vittadini

Tuber magnatum pico

La truffe, un parfum qui pénètre sous la peau

Affrontons dignement les mines dégoûtées des uns et les circonlocutions des autres qui, pour pertinentes et bienséantes qu'elles soient, n'en ratent pas moins de peu leur objectif, et parlons vrai. On dit de la truffe qu'elle aurait un parfum complexe, alliacé, avec une note animale. On use alors de périphrases sensuelles, voire érotiques, comme le musc.

Mais ne mâchons pas nos mots, ce qui nous ensorcelle, nous, le porc, le chien ou la chèvre caveurs de truffes et qui tient pour beaucoup de son mystère, c'est la testostérase, substance presque identique à la testostérone, hormone que l'on trouve dans le sperme de l'homme à qui elle donne son odeur.

C'est ainsi également que s'explique l'enthousiasme de la truie truffière. C'est que d'instinct, elle sent tout simplement les traces d'un verrat. Ne rêvons pas... les effets aphrodisiaques souvent imputés à la truffe ne vont pas jusqu'à s'exercer sur nous, les humains. Il n'en demeure pas moins qu'elle s'adresse en nous à une zone végétative subconsciente. Et cela peut être tellement excitant de manger des truffes...

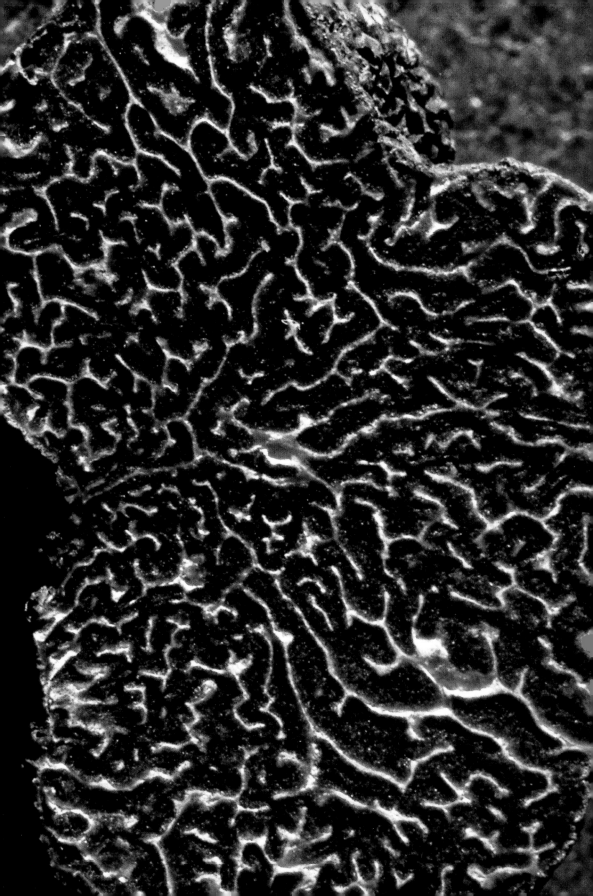

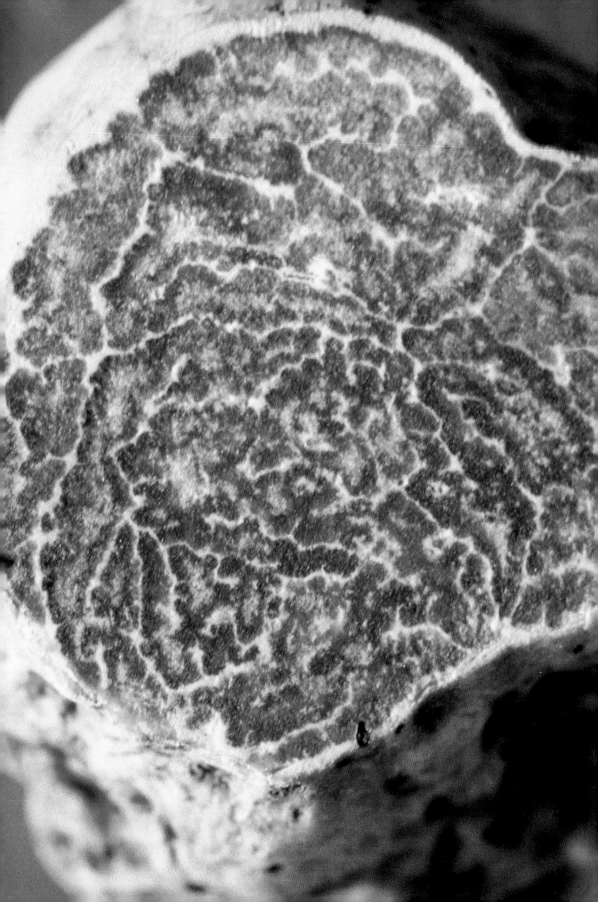

Petite histoire de la truffe

On est en droit de supposer qu'il y a des milliers d'années, la truffe était déjà très prisée, et Chéops, pharaon qui présidait à l'histoire de l'Egypte voici 4 600 ans, nous en donne confirmation. Plus de 2 000 ans plus tard, son amour de la truffe devait coûter deux dents à Licinius, gouverneur de la Carthage romaine. On peut se reporter sur ce point à l'auteur latin Pline. Les Grecs et les Romains avaient la réputation d'être des amoureux déclarés de la truffe. Avec l'effondrement de l'Empire romain, c'est un trou noir qui s'ouvrit dans l'histoire de la truffe. Les dignitaires ecclésiastiques, qui avaient fait vœu d'abstinence, avaient la truffe et son odeur aphrodisiaque en horreur. Il fallut attendre la Renaissance, pour que la truffe revienne à la mode, et en force. Cet engouement pour la truffe se rencontre dans toutes les maisons royales d'Europe. Il est notoire que Marie-Thérèse d'Autriche, par exemple, adorait littéralement ce tubercule, avec une prédilection pour sa préparation en omelette.

« Homo tuberensis », le caveur de truffes

A première vue, rien ne distingue un caveur de truffes des gens ordinaires. C'est une activité plutôt clandestine qu'exercent ces hommes et ces femmes, et la notoriété est bien la dernière chose qu'ils recherchent. A moins, bien sûr, qu'ils soient entre eux. Sonne alors l'heure de ce latin « truffier » dont fréquents sont les termes qui servent à attirer confrères et concurrents sur une fausse piste. Car une truffière, ça vaut de l'or. C'est peut-être à ses mains, qui ont remué des mètres cubes de terre, qu'on reconnaît un caveur de truffes. Ou peut-être à son chien, auquel il voue une estime immodérée.

Ce qu'on ne voit pas d'emblée, c'est son intuition, la connaissance qu'il a de la complexité des inter-férences qui se jouent entre le sol, l'air et les con-ditions météorologiques, et qui le fait s'arrêter et chercher là où d'autres passent sans rien voir.

C'est peut-être à sa roublardise, à sa débrouillardise qu'on le reconnaît

Toujours est-il que le caveur de truffes doit bien mystifier des concurrents, le fisc et aussi de temps en temps un client. Non, démasquer un « Homo tuberensis » n'est vraiment pas facile. Mais à partir du moment où on a fait sa connaissance, on ne peut plus se le représenter autrement... qu'en caveur de truffes.

Entrées

Chicorée aux artichauts crus et au foie de poularde

Retirer les deux tiers supérieurs des artichauts et couper les queues sur 2 cm. Retirer les feuilles vertes externes et gratter le foin à l'aide d'une petite cuiller. Mettre de côté dans une eau citronnée. Laver et couper la chicorée en petits morceaux avec les doigts. Procéder de même pour les feuilles de persil. Préparer une vinaigrette avec l'huile d'olive, le jus de citron, le sel, le sucre en poudre et le poivre blanc. Dépouiller le foie de poularde et faire cuire au beurre dans une petite poêle. Assaisonner avec le sel et le poivre blanc. Couper les artichauts en tranches très fines, mélanger dans la vinaigrette avec la chicorée et le persil. Servir en rajoutant le foie de poularde cuit. Parsemer de copeaux de truffe blanche et de parmesan râpé. Ill. pages 26–27.

Pour 4 personnes :
1 salade de chicorée
6 artichauts
1 bouquet de persil plat
40 g de parmesan râpé
200 g de foie de poularde
(beaucoup plus clair et bien plus fin que le foie de volaille ordinaire)
20 g de beurre
40 g de truffe blanche

Pour la vinaigrette :
8 cuil. à soupe d'huile d'olive vierge extra
1 jus de citron
Sel
1 pincée de sucre
Poivre blanc

Poireaux tièdes
à la vinaigrette
aux truffes

Oter la partie vert foncé des poireaux. Les fendre en deux et les laver soigneusement. Faire blanchir environ 10 minutes dans beaucoup d'eau salée. Le poireau doit être assez tendre si on ne veut pas qu'il ait un goût trop prononcé. Plonger rapidement dans de l'eau très froide salée et retirer immédiatement. Laisser mariner les poireaux encore tièdes dans la vinaigrette aux truffes. Un plat très simple mais excellent. En France, on le sert non seulement en entrée, mais aussi comme plat du soir avec un peu de crème aigre et du pain. Ill. page 31.

Pour 4 personnes :
8 jeunes poireaux
150 ml de vinaigrette aux truffes
– (voir chapitre Fonds et Sauces)

Pour 4 personnes :
1 laitue moyenne et ferme
1 chou Romanesco
2 œufs durs
1 bouquet d'aneth
80 g de truffes d'été noires

Pour la sauce :
3 cuil. à soupe de crème fraîche
3 cuil. à soupe de crème liquide
2 cuil. à soupe de vinaigre de
vin blanc
2 cuil. à soupe de jus de citron
Sel
Poivre de Cayenne
4 cuil. à soupe d'huile d'olive
vierge extra

Laitue au chou Romanesco et aux truffes d'été noires

Séparer le chou en bouquets et faire cuire à l'eau bouillante salée en veillant à ce qu'il croque encore un peu. Plonger dans de l'eau très froide et égoutter. Laver la laitue, la couper en petits morceaux et égoutter. Éplucher les œufs durs et les hacher finement.

Préparer une sauce onctueuse avec la crème fraîche, la crème liquide, le vinaigre de vin blanc, le sel, le poivre de Cayenne et l'huile d'olive. Y faire tremper les fleurettes de chou Romanesco. Disposer les feuilles de laitue sur une assiette en alternance avec les bouquets de chou. Décorer avec l'œuf haché, les pointes d'aneth et les copeaux de truffes d'été. Verser le reste de la sauce sur la salade. Une salade d'été merveilleusement rafraîchissante, que l'on peut également servir en guise de repas du soir. Ill. page 35.

Salade de betteraves rouges aux truffes noires et à la crème aigre

Retirer les feuilles des betteraves rouges. Cuire dans de l'eau additionnée de sucre, de sel, de carvi et de vinaigre de fruits. Laisser refroidir et passer sous un filet d'eau pour enlever la peau avec les doigts. Couper les betteraves rouges en fines tranches comme pour un carpaccio. Faire une vinaigrette avec le vinaigre de pomme, le sel, le sucre, le poivre noir et l'huile de tournesol et laisser mariner.

Nettoyer la salade feuilles de chêne, la laver et la couper en petits morceaux. La faire également tremper dans la vinaigrette et placer un petit bouquet au milieu d'une assiette. Disposer les rondelles de betteraves rouges en couronne autour de la salade. Eparpiller des lamelles de truffes sur la salade feuilles de chêne, arroser du reste de vinaigrette et décorer de crème aigre.

Ill. pages 36–37.

Pour 4 personnes :
300 g de betteraves rouges
1 cuil. à café de carvi
Sel
Sucre
1 bon doigt de vinaigre de fruits
1 petite salade feuilles de chêne

Pour la salade :
60 g de truffes noires coupées en fines lamelles
8 cuil. à soupe d'huile de tournesol pressée à froid
5 cuil. à soupe de vinaigre de pomme
Sel
1 pincée de sucre
Poivre noir fraîchement moulu
100 g de crème aigre

Blancs de pintade aux fonds d'artichauts farcis et aux truffes blanches

Pour 4 personnes :
2 petites pintades d'environ 600g
Sel
30 g de beurre
2 cuil. à soupe de sauce brune à la volaille –
(voir chapitre Fonds et Sauces)
Céleri grimpant

Pour les fonds d'artichauts :
8 petits artichauts
2 cuil. à soupe d'huile d'olive
1 gousse d'ail entière
1 brin de thym
2 branches claires de céleri
2 cuil. à soupe de mayonnaise
Jus d'un demi-citron
Poivre de Cayenne
Quelques gouttes de sauce Worcestershire
40 g de truffe blanche

Détacher les blancs et les cuisses des pintades. Assaisonner les cuisses et faire rôtir au four du côté de la peau 25 minutes environ. Détacher la viande des os, laisser refroidir et découper en petits dés. Couper les branches de céleri crues en petits dés. Mélanger avec la chair des cuisses et ajouter la mayonnaise, le jus de citron, le poivre de Cayenne et la sauce Worcestershire. Retirer les deux tiers supérieurs des artichauts ainsi que les queues. Enlever les feuilles vertes externes et gratter le foin avec une petite cuiller. Faire cuire à la poêle dans l'huile d'olive avec la gousse d'ail et le brin de thym en évitant de donner trop de coloration. Verser quelques gouttes de jus de citron et laisser refroidir. Farcir avec la salade de pintade et de branches de céleri et disposer sur un plat. Pendant ce temps, faire cuire les blancs de pintade (sans la peau) à la poêle avec un peu de beurre. Mouiller avec un peu de sauce à la volaille et verser sur la préparation. Servir les blancs de volaille avec les artichauts farcis. Décorer de feuilles de céleri et parsemer à volonté de copeaux de truffes. Ill. page 43.

« Mousse à la Fage » : mousse de chevreuil au foie gras et à la gelée de porto

Faire revenir la moitié du beurre, ajouter les quartiers de pommes et glacer légèrement avec le sucre. Ajouter le chevreuil et faire légèrement revenir. Mettre le zeste d'orange, les baies de genièvre, les feuilles de laurier et le thym. Mouiller avec le madère et le cognac, et faire réduire. Verser le jus de veau, ajouter le chevreuil, couvrir et faire cuire environ 30 minutes (à point). Retirer la viande, passer la sauce à travers un tamis fin et jeter les copeaux de truffes dans la sauce. Faire sauter rapidement les foies de volaille dans le reste de beurre et mouiller de Grand Marnier. Passer le chevreuil, le lard de poitrine fumé cuit, le foie gras et les foies de volaille au hachoir (grille fine), puis à travers un tamis très fin. Verser cette sauce encore chaude dans une jatte et remuer. Assaisonner généreusement et incorporer la crème battue en soulevant délicatement. Verser dans une terrine et laisser refroidir 2 heures. Garnir de lames de truffes et napper de gelée au porto. Laisser reposer 2 jours avant de servir. Délicieux avec de la brioche. Ill. pages 46/47.

Pour 10 personnes :
350 g de cuissot de chevreuil dépouillé
220 g de lard de poitrine fumé et cuit
180 g de foies de volaille
120 g de foie gras cru
40 g de beurre
120 g de pommes en quartiers
30 g de sucre
1 lamelle de zeste d'orange
1/2 cuil. à café de baies de genièvre concassées
1 brin de thym
2 feuilles de laurier
1/4 l de jus de veau (ou de chevreuil) – (voir chapitre Fonds et Sauces)
6 cl de madère
4 cl de cognac
2 cl de Grand Marnier
Sel, poivre blanc
350 ml de crème battue
60 g de truffes noires finement hachées
80 g de lames de truffes noires
1/4 l de gelée – (voir chapitre Fonds et Sauces)
Relever la gelée avec du porto rouge

Savez-vous où on peut aller aux truffes ?

La truffe se montrant, comme nous l'avons vu, bien difficile sur le plan du climat, du sol et des plantes qui l'entourent, on ne la trouve que dans une région bien délimitée, située environ entre quarante et quarante-sept degrés de latitude. De la Touraine à la frontière italienne, elle dessine une bande qui passe par Libourne et le Périgord et longe la Médi-terranée, avec un renflement dans la vallée du Rhône. Cette bande se poursuit en Italie à partir d'Alba et suit l'Apennin jusqu'à à la hauteur de Rome. Dans la péninsule ibérique, on rencontre la truffe au sud des Pyrénées, jusqu'à Guadalajara.

...tornavano infangati,
morti, ma carichi,
di pernici, di lepri,
di selvaggina...

Pour une trentaine de petits beignets :

Pour la pâte :
125 ml de lait
125 ml d'eau
100 g de beurre
1 pincée de sel
170 g de farine tamisée type 45
5 œufs

Pour la mousse de truffes :
500 g de jambon premier choix sans couenne ni gras
200 ml de crème fraîche
150 ml de gelée tiédie –
(voir chapitre Fonds et Sauces)
10 g de beurre
150 g de truffes noires finement hachées
6 cl de vieux madère
250 ml de crème battue
Sel
Poivre blanc fraîchement moulu

Beignets fourrés à la mousse de truffe noire

Couper le jambon en dés et le passer soigneusement au mixeur. Verser lentement la gelée tiédie, incorporer la crème fraîche et mélanger. Faire blondir les truffes hachées dans du beurre, mouiller de madère et verser dans la préparation. Assaisonner et incorporer la crème battue en soulevant délicatement. Mettre au frais 2 heures minimum. Faire bouillir le lait, l'eau, le beurre et le sel, puis retirer du feu. Ajouter la farine tamisée et délayer avec un fouet. Remuer ensuite la pâte avec une cuiller en bois jusqu'à ce qu'elle se détache et qu'une pellicule blanche apparaisse. Verser la pâte dans une jatte et ajouter les œufs un par un pour éviter l'apparition de grumeaux. Couvrir la plaque du four de papier sulfurisé et préchauffer le four à 220°C. Former à l'aide d'une douille des petits cercles de 2 cm et mettre au four. Verser une demi-tasse à moka d'eau dans le four, ce qui provoquera de la vapeur et fera lever correctement les beignets.

Ouvrir légèrement le four au bout de 10 minutes pour évacuer la vapeur et pour que les beignets soient bien croustillants. Les laisser refroidir puis les remplir avec la mousse de truffes à l'aide d'une douille. A déguster en apéritif avec une coupe de champagne.

Petits rouleaux de viande de veau crue garnis de fromage frais et accompagnés de truffes blanches

Pour 4 personnes :
200 g de fromage frais
50 g de crème aigre
Sel
Poivre blanc
Quelques gouttes d'huile de truffe blanche
16 tranches très fines de filet de veau
16 feuilles d'épinards de mêmes dimensions
4 cuil. à soupe d'huile d'olive vierge extra
Gros sel
40 g de truffes blanches

Mélanger le fromage frais et la crème aigre, assaisonner de sel, de poivre blanc et d'huile de truffe. Garnir les filets de veau de feuilles d'épinards et farcir avec la préparation de fromage frais. Former de petits rouleaux que l'on disposera sur une assiette à raison de quatre par personne. Assaisonner de gros sel et arroser d'huile d'olive. Pour finir, raffiner en parsemant de copeaux de truffes blanches. Servir avec du pain blanc légèrement grillé.

Mousse d'

la Fage

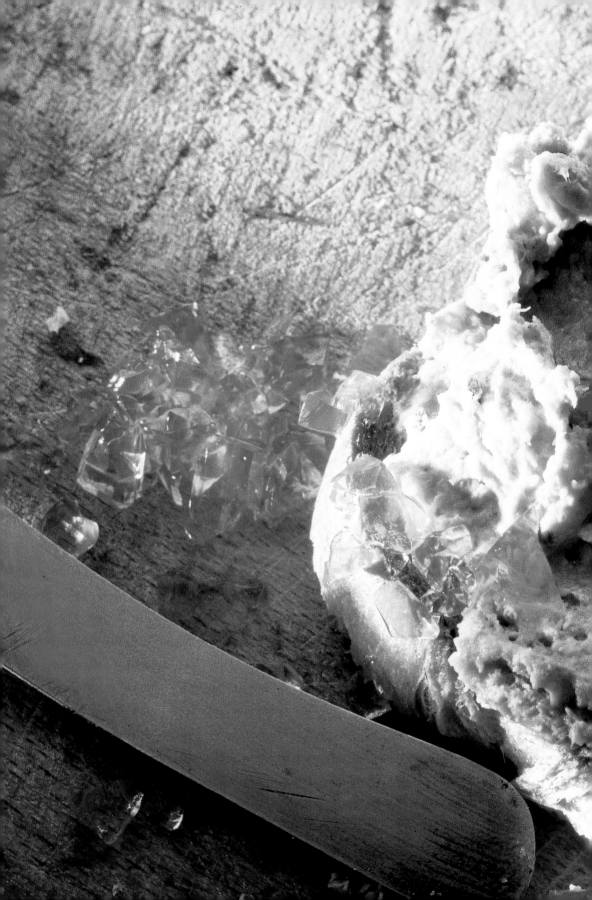

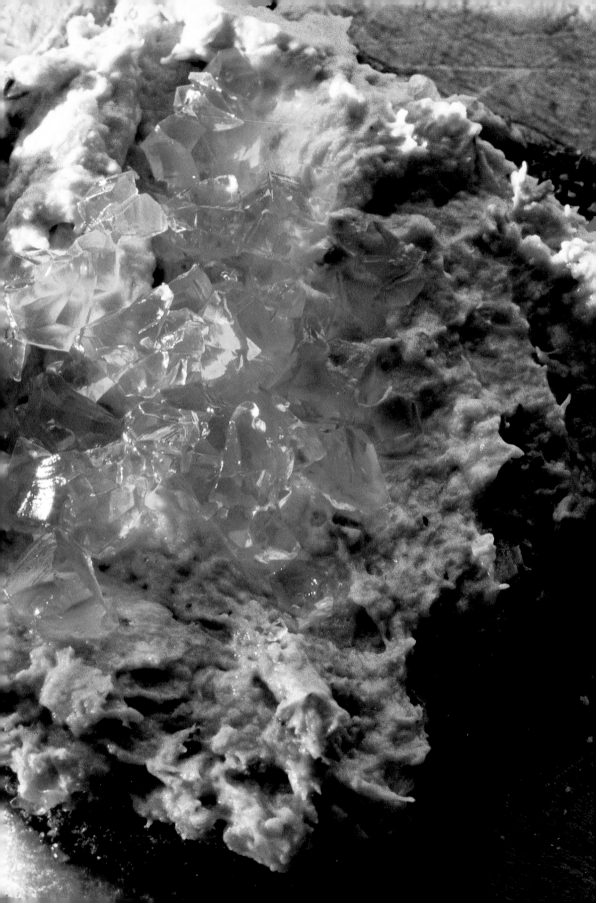

Carpaccio de bœuf
aux truffes d'été

Pour 4 personnes :
1 filet de bœuf paré d'environ
1,2 kg
60 g de truffes d'été noires
30 g de jeune parmesan râpé
80 ml d'huile d'olive vierge extra
Quatre gouttes d'huile de truffe
blanche
1 jus de citron
Poivre noir concassé
Gros sel

Utiliser du filet de bœuf tout frais et non rassis. Bien l'emballer sans le couper dans un film transparent et le mettre au congélateur.

Mélanger l'huile d'olive, de truffe et le jus de citron et en verser une cuillerée à soupe par assiette (plate). Emincer le filet de bœuf avec une machine à trancher la viande et répartir sur l'assiette. Verser à nouveau une cuillerée à soupe du mélange d'huile. Saupoudrer le carpaccio de copeaux de truffes d'été noires. Assaisonner de gros sel et de poivre noir concassé. Saupoudrer pour finir de parmesan jeune très finement râpé et arroser à nouveau d'un peu d'huile. Servir avec du pain blanc frais. Si l'on n'a pas chez soi de machine à trancher la viande, on peut recourir à un autre procédé. Couper le filet de bœuf non congelé en tranches d'environ 2 mm avec un couteau bien aiguisé. Placer entre deux sacs de congélation et attendrir avec un battoir jusqu'à ce que la viande soit très fine. Pour la suite de la préparation, opérer comme ci-dessus.

Parfait de foies de volaille truffé

Tapisser une terrine d'un film transparent, puis de lard frais émincé en faisant dépasser ce dernier sur les bords d'environ 5 cm. Mettre la terrine au frais. Faire chauffer le beurre jusqu'à ce que le petit-lait soit doré et que le beurre ait un goût de noisette. Faire tremper les foies de volaille dans du lait pendant quatre heures afin d'éliminer la plus grande partie des substances amères. Puis les retirer et les dépouiller (enlever les veinules et les ligaments). Faire blondir les truffes hachées dans un peu de beurre, mouiller avec le madère et le porto, ajouter les épices et faire réduire d'un tiers. Retirer ensuite les épices. Passer les foies avec les œufs entiers au mixeur et incorporer le beurre noisette encore un peu chaud. Il ne reste plus qu'à rajouter les épices et les truffes réduites, et à mélanger avec un simple fouet. Garnir la terrine de cette préparation et recouvrir avec le lard. Couvrir et faire cuire à four doux (120°C) dans un bain-marie pendant 35 minutes environ. Sortir la terrine du four et laisser refroidir au réfrigérateur pendant la nuit.

Pour une terrine d'environ 1 kg :
450 g de foies de volaille frais
2 œufs
400 g de beurre
100 g de truffes noires hachées
150 ml de madère
200 ml de porto rouge
1 brin de thym
1 feuille de laurier
5 baies de genièvre
1 pincée de sel à saumure –
(demander à votre boucher)
Sel
Poivre blanc fraîchement moulu
100 g de lard frais non fumé en tranches fines

Potages et ragoûts

Pour 4 personnes :
150 g de châtaignes épluchées
et cuites à l'eau
40 g de céleri-branche
40 g de céleri-rave
20 g de bardes de lard
20 g de beurre
2 cl de madère
3 baies de genièvre
1 feuille de laurier
3/4 l de fond de volaille –
(voir chapitre Fonds et Sauces)
200 ml de crème
1 cuil. à soupe de crème battue

Pour la garniture :
60 g de truffes noires coupées en
larges lamelles
10 g de beurre
2 cuil. à soupe de jus de veau –
(voir chapitre Fonds et Sauces)

Velouté de châtaignes aux lamelles de truffes noires

Faire revenir légèrement les bardes de lard dans du beurre. Ajouter les deux sortes de céleris coupés en dés et les châtaignes épluchées. Ajouter les épices et les herbes et arroser avec le fond de volaille. Laisser mijoter le potage un quart d'heure. Compléter avec la crème, mélanger et passer au chinois. Faire chauffer à nouveau et incorporer la crème battue. Faire cuire les lamelles de truffes dans du beurre, ajouter le jus de veau et verser le tout dans le potage de façon à former des bandes. Ill. pages 54–55.

Essence de queue de veau aux quenelles truffées

Préparer l'essence comme conseillé ci-dessus. Battre le beurre, le sel, le poivre blanc et la noix de muscade jusqu'à obtenir un mélange onctueux. Mettre les truffes hachées dans le beurre. Ajouter les œufs un par un en évitant de former des grumeaux. Incorporer rapidement la semoule avec une cuiller en bois et former de petites boulettes avec deux cuillers à café. Les jeter dans l'eau bouillante salée, couvrir et laisser gonfler hors du feu entre 12 et 15 minutes. Retirer et mettre dans le bouillon chaud, auquel on ajoutera éventuellement quelques feuilles de persil. Servir très chaud. Ill. page 59.

Pour 8 personnes :
Utiliser pour l'essence la recette de la gelée (voir chapitre Fonds et Sauces). Les pieds de veau seront remplacés par des morceaux de queue que l'on aura préalablement fait revenir et dorer.

Pour les boulettes de semoule :
100 g de beurre ramolli
2 petits œufs
200 g de semoule de blé dur
60 g de brisures de truffes noires finement hachées
Sel
Poivre blanc
Noix de muscade râpée

Pour 4 personnes :
200 g de gros haricots blancs
mis à tremper la veille
120 g d'oignons blancs en cubes
40 g de beurre
1 feuille de laurier
1 l de fond de volaille –
(voir chapitre Fonds et Sauces)
250 g de crème fraîche
Poivre noir fraîchement moulu

Pour la garniture :
2 œufs durs
40 g de truffes noires en
rondelles
10 g de beurre
2 cl de madère

Soupe de haricots blancs à l'œuf haché

Faire blondir les oignons dans du beurre. Ajouter les haricots mis à tremper la veille et le laurier, arroser avec le fond de volaille. Faire mijoter doucement pendant 35 minutes environ. Retirer le laurier, ajouter la crème fraîche et le poivre noir, mélanger. Passer au chinois et verser dans des assiettes à soupe. Décorer avec les œufs grossièrement hachés et les rondelles de truffes qu'on aura fait revenir dans le madère. Rajouter pour finir une cuillerée de crème fraîche dans le potage chaud et remuer. Ill. page 63.

« Ceci alla Piemontese »
Potée de chou de Milan
aux pois chiches
et aux truffes blanches

Couper l'oignon en lamelles et faire
blondir dans l'huile d'olive avec le chou. Ajouter
les pois chiches et le lard fermier et verser le
bouillon de bœuf ou le fond de volaille.
Ajouter le laurier et laisser mijoter doucement
pendant 30 minutes. La cuisson est terminée
lorsque les pois chiches commencent à se défaire.
Ajouter pour finir le persil, le poivre blanc et
rectifier éventuellement l'assaisonnement. Saupoudrer les tranches de pain de fromage râpé et
faire légèrement gratiner à four chaud. Disposer
dans l'assiette, verser par-dessus la soupe chaude,
parsemer de copeaux de truffe blanche et servir.
Ill. pages 68–69.

Pour 4 à 6 personnes :
600 g de chou de Milan coupé
grossièrement
140 g de pois chiches
mis à tremper la veille
50 g d'oignon
80 g de lard fermier
60 ml d'huile d'olive
10 petites tranches de pain de
campagne
180 g de fontina râpée
(fromage du val d'Aoste)
1,5 l de bouillon de bœuf ou de
fond de volaille –
voir chapitre Fonds et Sauces
1 feuille de laurier
Sel
Poivre blanc
1/2 bouquet de persil
40 à 60 g de truffes blanches

Ragoût de haricots aux cotechini (grosses saucisses à cuire italiennes)

Pour 4 personnes:

200 g de haricots rouges mis à tremper 2 heures dans de l'eau froide
150 g de brunoise (petits dés) de carottes, de branches de céleri-branche et d'échalotes
1/2 gousse d'ail finement hachée
30 g d'huile d'olive
20 g de beurre
1 rameau de romarin
30 g de concentré de tomate
1 feuille de laurier
2 grandes feuilles de sauge
1 l de fond de volaille – (voir chapitre Fonds et Sauces)
Poivre noir fraîchement moulu
Sel

Pour la garniture:
8 cotechini
20 ml d'huile d'olive
40 g de truffe blanche

Faire blondir la brunoise de légumes et l'ail dans un mélange de beurre et d'huile d'olive. Ajouter les feuilles de laurier et de sauge, le romarin ainsi que les haricots rouges. Verser le concentré de tomate, mouiller avec le fond de volaille et faire mijoter doucement pour que les haricots conservent leur forme. Retirer le romarin, la sauge et le laurier et assaisonner.

Cuire lentement les cotechini dans de l'huile d'olive, puis faire mijoter dans le ragoût de haricots. Assaisonner pour finir de poivre noir fraîchement moulu. Servir le ragoût à raison de deux cotechini par personne et parsemer de copeaux de truffe blanche. Quelques gouttes d'huile d'olive de premier choix donneront une note finale à votre plat. Ill. pages 66–67.

Crème de semoule
aux truffes blanches

Pour 4 personnes :
120 g de semoule de blé tendre
75 g de beurre
30 g d'échalotes coupées en petits dés
1 l de fond de volaille –
(voir chapitre Fonds et Sauces)
Poivre noir fraîchement moulu
Sel
40 g de parmesan râpé
30 g de beurre
50 g de truffe blanche

Faire légèrement rissoler la semoule de blé dans 75 g de beurre fondu jusqu'à ce qu'elle prenne une légère couleur jaune. Incorporer les échalotes et verser immédiatement le consommé de volaille. Ne pas cesser de remuer afin que le potage n'adhère pas à la casserole. Faire mijoter à feu doux environ 10 minutes et assaisonner.

Faire chauffer le reste du beurre jusqu'à ce qu'il soit doré (beurre noisette). Servir le potage saupoudré de parmesan et de copeaux de truffes blanches, et arroser le tout pour finir avec le beurre noisette. Un potage tombé dans l'oubli, mais qui, en raison de sa consistance, se marie merveilleusement bien avec la truffe blanche.

Riso alla Piemontese

Pour 4 personnes :
350 g de potiron coupé en gros
cubes
60 g de poireau
80 g de céleri-rave
1/2 poivron rouge
1/2 gousse d'ail
30 g de beurre
20 g de concentré de tomate
1 petit brin de thym
1/2 feuille de laurier
1 cuil. à café de paprika doux
en poudre
1 pincée de curry en poudre
Quelques gouttes de vinaigre de
fruits
3/4 l de fond de volaille –
(voir chapitre Fonds et Sauces)
150 ml de crème
1 pincée de poivre de Cayenne
Sel
Noix de muscade râpée
40 g de truffe blanche

Crème de potiron au paprika

Couper le poireau, le céleri-rave, l'ail et le poivron rouge et faire revenir dans du beurre. Ajouter les cubes de potiron et cuire lentement à l'étuvée jusqu'à ce que le liquide soit presque entièrement évaporé. Ajouter le concentré de tomate et saupoudrer de paprika. Mouiller aussitôt de quelques gouttes de vinaigre de fruits pour éviter que le paprika en poudre ne devienne amer. Ajouter le thym et la feuille de laurier et mouiller avec le fond de volaille. Faire mijoter à feu doux 15 minutes, mélanger et passer au chinois. Ajouter le poivre de Cayenne et la muscade, puis la crème hors du feu. Verser la soupe dans des assiettes creuses et parsemer à volonté de copeaux de truffe blanche.

Crème de céleri
à la truffe noire
du Périgord

Eplucher le céleri-rave, le couper en gros cubes et faire bouillir quelques minutes dans de l'eau salée. Jeter l'eau de cuisson et passer le céleri sous l'eau froide. Faire blondir les petits morceaux d'échalote dans du beurre, ajouter les cubes de céleri égouttés et arroser de quelques gouttes de vinaigre de fruits. Mouiller avec le fond de volaille, assaisonner et faire mijoter à feu doux 15 minutes environ. Ajouter la crème liquide et faire bouillir à nouveau. Ecraser et passer au chinois. Rehausser éventuellement d'un peu de noix de muscade râpée et servir.

Eplucher délicatement la truffe et la couper en fines lames. Faire chauffer rapidement dans du beurre et mouiller de madère. Répartir le potage dans des assiettes, garnir avec les lames de truffe cuites à point et arroser avec le jus de truffe.

Pour 4 personnes :
400 g de céleri-rave
2 échalotes coupées en petits dés
40 g de beurre
Quelques gouttes de vinaigre de fruits
Sel
Noix de muscade fraîchement râpée
600 ml de fond de volaille –
(voir chapitre Fonds et Sauces)
200 ml de crème liquide

Pour la garniture :
1 truffe noire du Périgord de 50 g environ
20 g de beurre
4 cl de vieux madère

Les marchés aux truffes : ou le tubercule se mue en espèces sonnantes et trébuchantes

Vous n'avez jamais été le dindon de la farce ? C'est une lacune à combler, et le marché aux truffes peut vous y aider. Les commerçants reniflent le profane comme la truie la truffe. De toute façon, les plus belles sont directement empochées par les courtiers en épicerie fine et les restaurants, et on ne les voit jamais.

Un parking. La brume matinale s'accroche aux crevasses de l'asphalte. Deux voitures émergent sans bruit de la purée de pois grise et s'immobilisent dans un crissement de pneus. Trois silhouettes descendent. On prononce quelques chiffres. En français ? En italien ? Qu'importe. Les regards n'arrêtent pas de scruter les parages.

Un des hommes ouvre sans bruit le coffre de la voiture. Son torse disparaît un court instant dans la gueule de tôle béante et en extirpe une roue de secours. Apparaissent quelques sachets en plastique d'où les deux autres sortent des choses grosses comme des pommes et qui ressemblent à des cailloux. On examine, on renifle, on touche. Et on finit par donner une tape sur l'épaule du « rabassier » en signe de satisfaction. Sans un mot, celui-ci compte alors une liasse de billets et remet les sachets en plastique en échange. Une brève poignée de mains, on remonte dans la voiture et on s'enfonce à nouveau dans le brouillard.

Cette forme de troc ne laisse pas, bien entendu, de hérisser le fisc. Mais qu'est-ce-qu'il peut faire ? Les gens sont muets et ne vendent officiellement que des produits de moindre qualité. Non pour tromper le client, mais pour simuler « la pauvreté » devant le fisc. Alba est aux Italiens ce que Lalbenque est aux Français. Deux éminents marchés aux truffes où les choses se passent un peu comme chez les trafiquants de drogue. Les plus belles pièces pèsent lourd dans les poches des caveurs et changent plutôt furtivement de propriétaire. Quant au reste, exposé dans des paniers ou sur des morceaux de toile blanche, le client non averti a tout le temps de l'étudier... et de se demander auprès de qui les restaurants se procurent leurs superbes exemplaires.

En France, les autres marchés importants sont ceux de Bergerac, Périgueux, Sainte-Alvère dans le Périgord, Richerenches, Carpentras, Valréas et Aups. En Italie, les plus grands, à côté d'Alba et d'Asti, sont ceux de Norcia en Ombrie et d'Aqualagna. Ce dernier est du reste le seul marché à proposer, à côté de la noire, également de la truffe blanche.

La truffe? Elle vaut de l'or

Nous ne voudrions pas vous couper l'appétit, mais les truffes ne sont pas vraiment bon marché. Les cultiver au sens strict du terme restant aléatoire (on peut seulement essayer de leur offrir un environnement idéal), elles sont et restent des végétaux rares. Pour un plat aux truffes blanches, 5 g environ suffisent, 20 g pour un plat aux truffes noires. Voilà qui relativise un peu le prix… Bon appétit.

Pommes de terre
et œufs

Pour 4 personnes :
300 g d'épinards
20 g de beurre
1 pincée d'ail finement haché
Sel
Poivre blanc
Noix de muscade fraîchement râpée
100 ml de crème double
4 petits œufs frais
20 g de beurre
Poivre noir concassé
80 g de truffes blanches
2 cuil. à soupe de jus de veau – (voir chapitre Fonds et Sauces)

Œufs au plat aux truffes blanches sur un lit d'épinards

Faire blanchir rapidement les épinards lavés, puis les plonger dans l'eau froide et bien les presser. Faire blondir l'ail finement haché dans du beurre et ajouter les épinards. Assaisonner et arroser de crème double. Laisser encore un peu réduire.

Faire fondre un peu de beurre, casser les œufs et assaisonner d'un peu de poivre noir. Répartir les épinards dans les assiettes et disposer les œufs. Parsemer généreusement de copeaux de truffes et arroser de quelques gouttes de jus de veau. Une variante excellente de cette recette consiste à l'accommoder de pommes de terre sautées et croustillantes, ce qui en fait un plat complet. Ill. page 82.

Œufs brouillés
aux truffes noires

Pour 2 personnes :
3 gros œufs frais
2 cuil. à soupe de crème fraîche
20 g de beurre fermier
50 g de truffes noires
en tranches
Sel et poivre noir

Mélanger rapidement les œufs, la crème fraîche et les lames de truffes noires et bien recouvrir avec un film transparent. On peut réaliser cette opération la veille, ce qui permettra aux œufs de bien s'imprégner du parfum des truffes pendant la nuit. Faire fondre le beurre et ajouter le mélange d'œufs et de truffes. Remuer délicatement les œufs avec une spatule en bois à feu doux. S'ils doivent être luisants, les œufs brouillés ne doivent être ni trop baveux ni trop fermes. Servir de suite et assaisonner de sel et de poivre noir fraîchement moulu. Ill. page 83.

Pour 4 personnes :
750 g de potiron bien mûr
500 g de pommes de terre à chair
farineuse
cuites en robe des champs
2 œufs frais
80 g de fécule
100 g de semoule de blé dur
Sel
Poivre blanc
1 pincée de sucre
Noix de muscade fraîchement
râpée
60 g de beurre
40 g de truffe blanche

Gnocchis de potiron aux truffes blanches

Couper le potiron en tranches d'environ 4 cm d'épaisseur. Saler, poivrer, sucrer et bien emballer dans une feuille de papier d'aluminium. Faire cuire à four moyen (190°C) une heure environ. Puis ôter l'aluminium et verser le potiron dans une petite casserole. Faire lentement réduire le jus et laisser refroidir. Préparer une pâte avec les pommes de terre écrasées, les œufs, la semoule de blé, la fécule et le potiron. Saupoudrer le plan de travail de farine, étendre la pâte au rouleau et la couper en morceaux de 2 cm d'épaisseur et 2 à 3 cm de long. Former des gnocchis avec le dos d'une fourchette. Faire frémir dans une grande quantité d'eau bouillante salée, puis plonger dans l'eau froide. Faire chauffer 40 g de beurre dans une poêle, y verser les gnocchis et faire rissoler. Ajouter le sel, le poivre, la noix de muscade et parsemer de copeaux de truffes blanches.

Ill. pages 88–89.

Gnocchis à la sauce de châtaignes et de salsiccia

Faire blondir les échalotes et l'ail dans l'huile d'olive. Ajouter la salsiccia et remuer avec une cuiller en bois pour bien mélanger le tout. Saler, poivrer et verser le concentré de tomates. Continuer de faire rissoler à feu doux pour que la sauce prenne une belle coloration. Ajouter alors les petites châtaignes et mouiller avec le fond de volaille. Couvrir et continuer la cuisson au four (180°C) pendant 20 minutes.

Travailler les pommes de terre réduites en purée et encore chaudes avec les jaunes d'œufs, la farine, la semoule et le sel jusqu'à obtenir une pâte homogène. Etendre au rouleau pour former des bandes de l'épaisseur d'un doigt et couper en morceaux de 2 cm. Former des gnocchis avec le dos d'une fourchette et jeter dans une grande quantité d'eau salée. Faire bouillir et laisser frémir encore quelques instants. Mélanger aussitôt à la sauce et servir avec des feuilles de sauge qu'on aura fait revenir dans du beurre. Ne pas oublier bien entendu de parsemer de copeaux de truffe blanche!

Ill. pages 100–101.

Pour 4 personnes :
900 g de pommes de terre à chair farineuse cuites à l'eau
150 g de farine type 45
100 g de semoule
2 jaunes d'œufs
Sel

Pour la sauce :
250 g de petites châtaignes grillées
400 g de salsiccia truffée (saucisse à cuire italienne)
30 g d'échalotes coupées en petits dés
1 pincée d'ail finement haché
1/2 cuil. à café de concentré de tomates
300 ml de fond de volaille – (voir chapitre Fonds et Sauces)
Poivre noir fraîchement moulu
Sel
50 ml d'huile d'olive
20 g de beurre
10 feuilles de sauge
60 g de truffe blanche

« Œufs pochés Dordogne » : œufs pochés à la vinaigrette de ciboulette et aux truffes noires

Pour 4 personnes :
4 œufs frais très froids
2 l d'eau
50 ml de vinaigre de vin blanc

Pour la vinaigrette :
2 bottes de ciboulette
4 cuil. à soupe de fond de volaille –
(voir chapitre Fonds et Sauces)
6 cuil. à soupe de vinaigre de vin
blanc
10 cuil. à soupe d'huile de tournesol
pressée à froid
Poivre blanc
1 pincée de sucre
30 g de truffes noires en tranches
10 g de beurre
Sel

Couper la ciboulette et la passer au mixeur avec le fond de volaille, le vinaigre de vin blanc, le sel, le poivre blanc et un peu de sucre. Verser de temps en temps un filet d'huile de tournesol, assaisonner et mettre au frais. Faire chauffer de l'eau dans une casserole jusqu'à ce que des petites bulles apparaissent sur les bords. Verser le vinaigre dans l'eau. Casser les œufs un par un dans une louche et les faire glisser doucement dans l'eau. Les faire bouger un peu avec une cuiller pour leur donner une belle forme. Retirer et plonger rapidement dans de l'eau très froide. Les œufs pochés doivent être assez mous à l'intérieur. Servir les œufs coupés en deux sur la vinaigrette qu'on aura versée dans des assiettes plates. Faire chauffer les lames de truffes dans du beurre fondu et saler légèrement. Verser sur les œufs et rajouter éventuellement un peu de gros sel. Ill. pages 86–87.

Petits soufflés
aux truffes noires

Oter le quart supérieur des coquilles des œufs bruns avec un couteau-scie, recueillir les jaunes et les blancs dans une jatte et réserver. Disposer les coquilles nettoyées l'une à côté de l'autre sur un lit de sel. Faire blondir les truffes dans du beurre, mouiller de madère et verser le jus de veau. Faire un peu réduire et répartir dans les huit coquilles d'œufs. Prendre les quatre gros œufs et séparer les blancs. Battre avec un peu de sel et de poivre jusqu'à obtenir une consistance moyenne. Mélanger les jaunes et la crème battue et verser également dans les coquilles d'œufs tout en veillant à laisser 1 cm pour que les soufflés ne débordent pas en cuisant.

Mettre dans un four préchauffé à 220°C (sans air pulsé, la chaleur venant simplement par le dessus et le dessous), et faire cuire entre 3 et 5 minutes. Garnir des petites coupes de gros sel, disposer deux œufs par coupe et servir avec des petites cuillers. Eviter les couverts en argent qui pourraient noircir.

Pour 4 personnes :
8 œufs bruns frais
4 gros œufs frais
100 g de truffes noires grossièrement hachées
10 g de beurre
2 cl de madère
50 ml de jus de veau –
(voir chapitre Fonds et Sauces)
3 cuil. à soupe de crème battue
Poivre blanc fraîchement moulu
Sel

...Ci son delle
cose che basta
che esistano e
si gode a saperlo...

Pour 4 personnes :
**5 pommes de terre moyennes
à chair ferme
20 g de lames de truffes noires
de 3 cm de diamètre
Huile à friture**

Pour la mousse de poularde :
**160 g de blanc de poularde cuit
à point
80 g de foie gras
30 g de beurre
3 cuil. à soupe de sauce brune à
la volaille –
(voir chapitre Fonds et Sauces)
2 cl de porto blanc
Sel
Poivre de Cayenne
150 ml de crème liquide
200 ml de crème battue**

Chips aux truffes et à la mousse de poularde

Mixer finement le foie gras, le blanc de poularde et le beurre et passer au tamis. Faire légèrement réduire la sauce à la volaille, ajouter la crème liquide et faire encore mijoter 5 minutes. Mélanger cette sauce et la mousse en remuant doucement. Assaisonner et incorporer délicatement la crème battue. Faire refroidir au réfrigérateur 3 heures minimum. Eplucher les pommes de terre et les couper en tranches très fines dans le sens de la longueur. Placer une tranche de truffe sur une tranche de pomme de terre, recouvrir avec une deuxième tranche de pomme de terre, et faire frire dans l'huile à 160°C jusqu'à l'obtention d'une belle couleur dorée. Retirer, poser sur du papier absorbant et saler légèrement. Placer au centre de l'assiette une boulette de mousse de poularde dans laquelle on piquera les chips aux truffes en formant des pétales. Ill. pages 96–97.

Pommes de terre aux œufs et aux truffes blanches

Pour 4 personnes :
600 g de pommes de terre bintjes
cuites en robe des champs
6 œufs très frais
100 g de fontina (fromage italien)
Sel
Poivre noir concassé
1 cuil. à soupe d'huile pour friture
30 g de beurre
60 g de truffes blanches

Eplucher les pommes de terre et les couper en tranches d'1 cm d'épaisseur. Les faire rissoler dans une poêle en fonte et assaisonner. Alterner dans un plat à gratin une couche de pommes de terre, un peu de fontina râpée et deux œufs frais. Répéter deux fois l'opération de sorte que les œufs constituent la dernière couche. Saupoudrer de poivre concassé et laisser cuire 10 minutes environ dans un four préchauffé à 210°C. Il est très important que le jaune d'œuf soit encore un peu liquide. Parsemer généreusement de copeaux de truffes blanches et servir dans le plat à gratin.

Préparation très simple où tout dépend de la fraîcheur des œufs et de leur degré de cuisson. Ce plat se prête à une utilisation généreuse de truffes.

Gratin de purée de pommes de terre aux truffes blanches avec un œuf à cheval

Pour 4 personnes :
700 g de pommes de terre à chair farineuse
220 g de beurre
250 à 300 ml de lait chaud
(selon la qualité des pommes de terre)
Sel
Poivre noir
Noix de muscade fraîchement râpée
6 œufs fermiers frais
60 g de boscaiola bien mûre
(fromage italien)
50 g de truffes blanches

Eplucher les pommes de terre, les couper en deux et les faire cuire à l'eau bouillante salée. Bien les égoutter. Les passer au presse-purée et incorporer 150 g de beurre avec une cuiller en bois. Verser progressivement le lait chaud, ajouter le sel et la noix de muscade et répartir dans quatre assiettes en aplatissant bien. Enlever les croûtes de la boscaiola et couper en petits morceaux. Verser sur la purée de pommes de terre avec quelques noix de beurre et faire fondre au four. Faire cuire les œufs au plat dans de petites poêles individuelles, saler légèrement le blanc, poivrer le jaune. Servir sur la purée gratinée et parsemer les œufs de copeaux de truffes blanches.

Lasagnes de pommes de terre et d'épinards aux truffes blanches

Travailler les pommes de terre écrasées et encore chaudes avec les jaunes d'œufs, la farine, la semoule et le sel pour former une pâte homogène. Etendre sur 3 mm d'épaisseur et découper en huit gros carrés de 10 cm de côté.

Laver et blanchir rapidement les épinards, puis les plonger dans l'eau froide et bien essorer. Faire blondir l'ail finement haché et les échalotes dans du beurre et ajouter les épinards. Assaisonner et arroser de crème double. Faire encore un peu réduire et verser une cuillerée sur la première couche de pâte de pommes de terre. Recouvrir d'une nouvelle couche de pâte et terminer par des épinards. Saupoudrer de parmesan grossièrement râpé et cuire au four (190°C) environ 15 minutes. Recouvrir éventuellement d'une feuille de papier d'aluminium. Servir dans les assiettes à l'aide d'une large spatule et parsemer de copeaux de truffes blanches. Quand elles sortent du four, ces lasagnes de pommes de terre doivent être dorées sur les bords.

Pour 6 personnes :
900 g de pommes de terre à chair farineuse cuites à l'eau
150 g de farine type 45
100 g de semoule
3 jaunes d'œufs
Sel
300 g d'épinards
30 g de beurre
30 g d'échalotes coupées en petits dés
1 pointe d'ail finement haché
Sel
Poivre blanc
Noix de muscade fraîchement râpée
100 ml de crème double
40 g de truffes blanches

Le brûlé : la trace
de la terre « brûlée »

Imaginez le scénario suivant : quelqu'un mettrait des tagliatelles sur le feu, puis irait faire un tour en forêt. Là, il tomberait tout de suite sur un pan de terrain dénudé qui s'étale tout autour d'un chêne. Un « brûlé », comme on dit. Il mettrait à tout hasard la main dans la terre et la ressortirait avec 400 grammes de truffes. Ses pâtes auraient cuit dans l'intervalle, et il les parsèmerait à présent de ses copeaux de truffes. Ah que le monde serait bien fait ! Hélas, on peut y trouver de tout... sauf un brûlé. Beaucoup d'illustrations nous montrent des bandes de terrain circulaires certes photogéniques, mais cette vision ne rend la plupart du temps pas vraiment compte de la réalité. Les truffes ont la particularité de défendre leur espace vital contre l'intrusion d'autres plantes. Comment cela fonctionne, personne, dans ce monde qui pourtant n'a plus de secrets pour nous, ne le sait exactement. Mais c'est cette particularité qui, avec la croissance conjuguée du mycorhize et des racines, est à l'origine de l'existence d'une zone circulaire où rien ne pousse plus autour du tronc d'arbre. Il y a tout de même quelques plantes que la truffe tolère, voire dont elle tire profit, comme la vigne, l'églantine sauvage, la lavande, etc. A la chasse au tubercule,

celui qui sait «lire» le sol part très largement favorisé. Rien qu'en regardant la végétation, il sait si cela vaut la peine de chercher. Malheureusement on ne peut pas se fier au brûlé vu que d'autres champignons procèdent comme la truffe. On se retrouve alors avec tout ce qu'on veut dans la main... sauf une truffe.

La trufficulture ?
Rien de sorcier

Les tentatives pour cultiver la truffe ne datent pas d'hier. Mais ce n'est qu'au vingtième siècle qu'on y est parvenu. D'abord, il faut lui offrir des conditions d'épanouissement optimales : une couche d'humus de 10 à 30 centimètres, riche en substances nutritives avec, en dessous, un important dépôt calcaire, un sol ameubli, du soleil, de la chaleur, une exposition au sud. Et surtout pas d'autres champignons comme le « Tuber brumale » et consorts... Ensuite, il ne reste qu'à planter des arbustes «mycorhizés», c'est-à-dire auxquels on a inoculé de la truffe, ameublir régulièrement le sol avec beaucoup de précautions, retirer les herbes indésirables qui pourraient lui faire de la concurrence au niveau de la nourriture et... espérer. Au bout de quatre ou cinq ans au plus tôt, mais plus souvent huit, le trufficulteur pourra récolter les premiers tubercules. Si Dieu le veut... et les sangliers.

Pâtes, crêpes, et risottos

Tagliolinis
aux truffes blanches

Etendre la pâte à nouilles selon l'épaisseur voulue et tailler en rubans de 20 cm. Laisser un peu sécher. Couper en tagliolinis et former des petits tas. Faire cuire rapidement dans de l'eau bouillante salée additionnée d'huile d'olive, puis égoutter. Réserver un peu d'eau de cuisson, la mélanger dans la casserole avec le beurre et la noix de muscade tout en remuant. Cette liaison à l'œuf évitera que les pâtes ne soient sèches. Servir de suite et parsemer généreusement de copeaux de truffes blanches. Ill. pages 110–111.

Pour 4 personnes :
400 g de pâte à nouilles
2 cuil. à soupe d'huile d'olive
50 g de beurre fermier frais
Noix de muscade fraîchement râpée
Entre 40 et 120 g de truffes blanches

Tagliatelles au potiron
et aux amandes

Couper le potiron en cubes, cuire à l'étuvée dans le beurre et le bouillon de poule jusqu'à ce que la chair se défasse. Ajouter la pâte d'amandes, le sel, le poivre et l'huile de truffe blanche. Ajouter pour finir la crème liquide et mélanger légèrement.

Faire cuire les tagliatelles à l'eau bouillante et les égoutter. Les mélanger avec un peu de beurre et servir sur un plat. Napper avec la sauce au potiron, parsemer d'amandes effilées grillées et de copeaux de truffes blanches.

Pour 4 personnes :
400 g de tagliatelles faites maison

Pour la sauce :
500 g de potiron
60 g de beurre
300 ml de bouillon de poule
150 ml de crème liquide
20 g de pâte d'amandes
70 g d'amandes effilées grillées
Quelques gouttes d'huile de truffe blanche
Sel
Poivre noir
50 à 60 g de truffes blanches

... di rivedere
le donne grattugiare
impostare, lavorire,
scoperchiare e la
fuoco e mi tornava
in bocca quel
sapore...

Polenta alla Raffaella

Mettre dans une casserole le lait et l'eau, porter à ébullition, verser en pluie la semoule de maïs, saler. Remuer en permanence afin qu'il ne se forme pas de grumeaux et que la polenta n'attache pas. Laisser cuire à feu doux environ 30 minutes, incorporer le parmesan râpé et le beurre froid. Pendant ce temps, faire cuire rapidement les tranches d'aubergine et les petites seiches dans l'huile d'olive très chaude. Assaisonner, jeter l'huile et poursuivre la cuisson dans du beurre frais. La polenta sera servie sur une assiette à part, seules les seiches seront servies avec les truffes. Ce mélange de saveurs, seiches aux truffes et polenta aux aubergines, est particulièrement intéressant. Ill. page 117.

Pour 4 personnes :
75 g de grosse semoule de maïs
250 ml de lait
250 ml d'eau
50 g de parmesan râpé
40 g de beurre
Sel

A quoi s'ajoutent :
300 g de petites seiches
2 cuil. à soupe d'huile
20 g de beurre
2 aubergines sans leurs graines
40 g de truffes blanches

Risotto au cresson, aux cuisses de grenouilles et aux truffes blanches

Faire revenir les petits dés d'ail et d'échalote dans un mélange beurre-huile. Ajouter le riz, faire dorer, mouiller de vin blanc et réduire. Verser progressivement le fond de volaille chaud jusqu'à ce que le riz soit entièrement recouvert. Faire cuire entre 15 et 17 minutes. 10 minutes avant la fin de la cuisson, ajouter le cresson grossièrement haché et mélanger. Ajouter le poivre blanc et la noix de muscade fraîchement râpée. Mélanger pour finir le parmesan râpé et les noix de beurre froid dans le riz. Saler les cuisses de grenouilles et les passer dans la farine. Faire sauter dans de l'huile, puis jeter l'huile et continuer la cuisson dans du beurre. Verser la préparation sur le risotto, parsemer de copeaux de truffes blanches et décorer avec le cresson. Ill. page 121.

Pour 4 personnes :
30 g d'huile d'olive vierge extra
30 g de beurre
200 g de riz rond
150 ml de vin blanc sec
60 g d'échalotes en petits dés
1/2 cuil. à café d'ail en petits dés
200 g de cresson de fontaine grossièrement haché
600 ml environ de fond de volaille – (voir chapitre Fonds et Sauces)
80 g de jeune parmesan râpé
30 g de noix de beurre très froid
Poivre blanc fraîchement moulu
Noix de muscade fraîchement râpée
24 cuisses de grenouilles dépouillées
Sel
Un peu de farine pour saupoudrer
2 cuil. à soupe d'huile
40 g de beurre
Feuilles de cresson pour décorer
40 g de truffes blanches

Pour 8 personnes :
50 g de poireaux en dés
50 g de carottes en dés
50 g de céleri-branche en dés
150 g de ris de veau qu'on aura
fait dégorger
1/2 cuil. à café de persil plat
finement haché
30 g de beurre
60 ml de crème liquide
Sel
Poivre blanc fraîchement moulu
Noix de muscade fraîchement râpée
500 g de pâte à raviolis

Pour la sauce :
60 g de brisures de truffes noires
sans les peaux
20 g de beurre
4 cl de porto blanc
5 cl de champagne
300 ml de fond de volaille blanc –
(voir chapitre Fonds et Sauces)
1/4 l de crème liquide
50 ml de crème fraîche

Pour la pâte à ravioli :
500 g de farine
3 œufs
2 jaunes d'œufs
2 cuil. à soupe d'huile d'olive
1 pincée de sel

Raviolis de ris de veau
à la crème et aux truffes noire

Faire blondir la brunoise de légumes dans la moitié du beurre, mouiller avec un peu d'eau et cuire jusqu'à ce que les légumes soient tendres. Faire revenir le ris de veau coupé en morceaux réguliers dans le reste du beurre. Saler, poivrer et faire cuire à feu doux 5 minutes. Laisser un peu refroidir et hacher finement. Verser sur les légumes, arroser de crème liquide et laisser mijoter jusqu'à l'obtention d'une pâte compacte. Assaisonner, ajouter le persil haché et mélanger. Faire refroidir pour la suite de la préparation. Pour la sauce, faire revenir les brisures de truffes dans du beurre fondu, mouiller de porto et de champagne. Faire réduire, verser le fond de volaille et faire à nouveau réduire. Ajouter la crème liquide et la crème fraîche, assaisonner une nouvelle fois et passer au mixeur. Les truffes noires donneront à cette sauce une belle couleur brune. Etendre la pâte à raviolis de façon qu'elle soit très fine. Badigeonner de blanc d'œuf et aligner des petits paquets de farce tous les 5 cm. Recouvrir avec le reste de la pâte, presser avec le bord de la main et découper les raviolis avec une roulette à pâtisserie. Faire cuire rapidement (2 minutes environ) dans de l'eau bouillante salée. Egoutter, faire revenir dans un peu de beurre fondu et napper de la sauce à la crème et aux truffes noires.

Pour la pâte, travailler ensemble la farine, les œufs, l'huile et 60 ml d'eau environ jusqu'à l'obtention d'une pâte lisse. Au cas où elle serait trop épaisse, agouter un peu d'eau. Couvrir la pâte et laisser reposer une heure. Etendre ensuite selon l'épaisseur désirée et continuer la préparation.

Cannellonis aux truffes blanches farcis aux noix

Faire griller légèrement les noix concassées dans le beurre et mélanger avec les jaunes d'œufs et le robiola. Assaisonner avec le sel, le poivre et la noix de muscade. Poser sur les rubans de pâte très mince et former des rouleaux. Disposer par couches dans un moule à gratin beurré et verser la crème liquide. Mettre les cannellonis au four et les faire cuire 15 minutes environ à 180°C. Couper les fonds d'artichauts en tranches et les cuire lentement dans l'huile d'olive avec l'ail et le thym. Poser sur les cannellonis, que l'on a disposés sur une assiette, les tranches d'artichaut cuites et parsemer de copeaux de truffes blanches.

Pour 4 personnes :
Etendre 20 rubans de pâte à nouilles de 10 x 10 cm
(voir recette page 122)
300 g de robiola (fromage frais italien)
2 jaunes d'œufs
120 g de cerneaux de noix broyés
20 g de beurre
120 ml de crème liquide
Sel
Poivre blanc
Noix de muscade fraîchement râpée

Pour la farce :
4 fonds d'artichauts
2 brins de thym
30 ml d'huile d'olive
1 gousse d'ail avec la peau, écrasée
50 g de truffes blanches

Pour 4 personnes :
30 g d'huile d'olive vierge extra
30 g de beurre
200 g de riz rond
150 ml de vin blanc sec
60 g d'échalotes en petits dés
1/2 cuil. à café d'ail en petits dés
200 g d'épinards blanchis
et finement hachés
600 ml environ de fond de
volaille –
(voir chapitre Fonds et Sauces)
80 g de jeune parmesan râpé
30 g de flocons de beurre très
froid
Poivre blanc fraîchement moulu
Noix de muscade fraîchement
râpée
2 cuil. à soupe de crème battue

A quoi s'ajoutent :
150 g de petits ris de veau crus
1 cuil. à soupe d'huile
30 g de beurre
80 g de truffes blanches

Risotto d'épinards aux ris de veau et aux truffes blanches

Faire revenir les échalotes et l'ail coupés en dés dans un mélange beurre-huile. Ajouter le riz et faire blondir, mouiller de vin blanc et réduire. Verser progressivement le fond de volaille jusqu'à en recouvrir le riz. Faire cuire entre 15 et 17 minutes. Incorporer les épinards finement hachés 10 minutes avant la fin de la cuisson. Assaisonner de poivre blanc et de noix de muscade fraîchement râpée. Ajouter pour finir le parmesan râpé, les noix de beurre et la crème battue et bien mélanger le tout. Faire chauffer l'huile et le beurre dans une poêle anti-adhésive, faire dorer les ris de veau et mouiller d'un peu de jus de veau. Répartir sur le risotto et servir avec des copeaux de truffes blanches.

Crêpes de cardons aux truffes blanches et à l'œuf

Faire blondir les échalotes dans du beurre et ajouter les cardons nettoyés et coupés. Mouiller de fond de volaille, couvrir et cuire jusqu'à ce qu'ils soient ramollis. Ajouter la crème liquide et assaisonner avec le jus de citron, le sel et le poivre. Mélanger et passer dans une passoire. Répartir la purée de cardons sur les crêpes et rouler. Tremper dans l'œuf battu et faire dorer des deux côtés dans du beurre clarifié. Servir les crêpes dans des assiettes et décorer de rubans de cardons cuits dans du jus de veau. Parsemer pour finir de copeaux de truffes blanches. Ill. page 115.

Pour 4 personnes :
4 crêpes
– diamètre de 20 cm
2 œufs
50 g de beurre clarifié

Pour la farce :
200 g de cardons nettoyés et coupés
1 cuil. à soupe d'échalotes coupées en petits morceaux
20 g de beurre
1/4 l de fond de volaille blanc
75 ml de crème liquide
Sel
Poivre blanc fraîchement moulu
Un peu de jus de citron

A quoi s'ajoutent :
100 g de cardons coupés en rubans de 5 cm
15 g de beurre
100 ml de jus de veau – (voir chapitre Fonds et Sauces)
Poivre blanc
40 g de truffes blanches

ssons,
coquillages
et crustacés

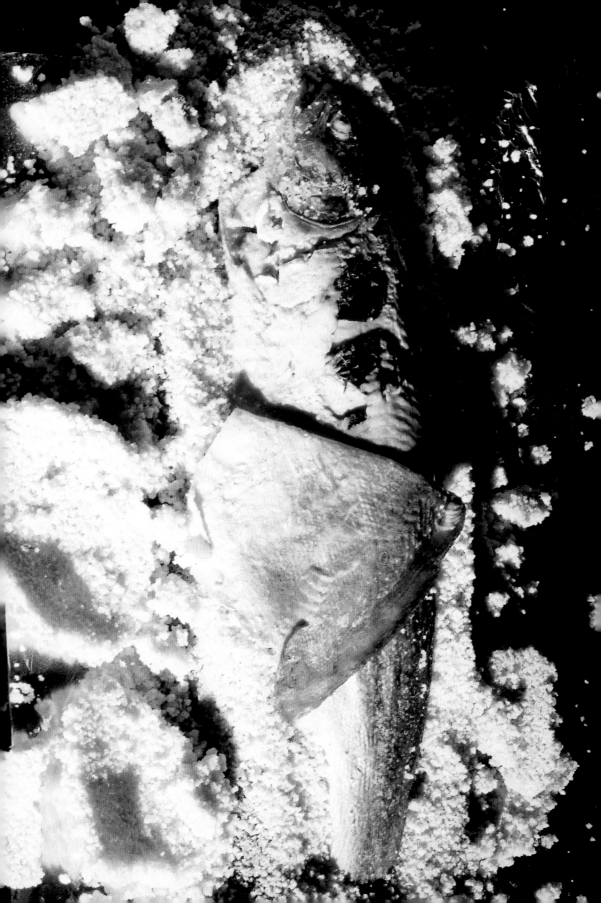

Truite de mer en croûte de sel farcie aux truffes

Laver la truite. Détacher la peau en partant de la nageoire dorsale. Garnir la truite de 40 g de truffes en tranches et remettre la peau pour couvrir. Farcir la truite de mer avec les grains de poivre concassés et le céleri-branche. Mélanger le sel marin et les blancs d'œuf. Recouvrir la plaque du four de papier d'aluminium. Etaler une partie du sel sur la plaque de façon à former une couche un peu plus grande que le poisson, et y poser la truite. Recouvrir avec le reste du sel, bien appuyer en veillant à donner la forme d'un poisson. Faire cuire 40 minutes dans un four préchauffé à 230°C. Pendant ce temps, faire blondir les échalotes et les champignons dans le beurre. Mouiller de champagne et de Noilly-Prat et faire entièrement réduire. Verser le fond de poisson et réduire à nouveau entièrement. Ajouter la crème fraîche et la crème liquide et porter à ébullition. Ajouter le jus de citron et le poivre de Cayenne, mélanger et passer. Couper en biais les côtes de céleri en morceaux de 2 cm. Cuire à l'étuvée dans un peu de fond de poisson et verser en veillant à ce qu'il n'y ait plus de liquide dans la sauce au poisson. Y faire chauffer le reste des tranches de truffes et servir. Casser la croûte de sel et la retirer. Enlever la peau du poisson, napper de la sauce au céleri, disposer des tranches de truffes autour du poisson et décorer de feuilles de céleri. Ill. pages 130–131.

Pour 6 personnes :
1 truite de mer
d'1,8 à 2 kg environ
3 kg de sel marin non raffiné
3 blancs d'œufs
2 branches de céleri
10 grains de poivre blanc
300 g de côtes de céleri
Feuilles de céleri pour décorer
40 g de tranches de truffes noires

Pour la sauce au champagne :
30 g d'échalotes en dés
40 g de champignons de Paris
20 g de beurre
200 ml de champagne
5 cl de Noilly-Prat
400 ml de fond de poisson –
(voir chapitre Fonds et Sauces)
250 g de crème liquide
150 g de crème fraîche
Jus d'un demi-citron
Poivre de Cayenne

Turbot au jus de veau sur un lit de purée de pommes de terre

Laver et bien essuyer le filet. Inciser en losange le côté blanc de la peau avec un couteau pointu et couper le filet en quatre. Faire fondre le beurre et l'huile dans une poêle anti-adhésive, assaisonner les filets et les placer dans la poêle du côté de la peau. Cuire doucement sans cesser d'arroser jusqu'à l'obtention d'une couleur dorée, mais sans faire noircir le beurre. Cuire les pommes de terre dans une grande quantité d'eau bouillante salée qu'on jettera ensuite. Passer au presse-purée, incorporer les coquilles de beurre froid et travailler le tout avec une cuiller en bois. Après quoi, verser le lait chaud jusqu'à ce que la purée ait la consistance souhaitée. Ajouter le sel et la noix de muscade. Lorsqu'ils sont bien cuits, arroser les filets du jus de citron et les retourner. Verser la purée sur une assiette, l'aplatir et poser le turbot avec la peau en haut. Mouiller le fond de cuisson avec le jus de veau et faire réduire rapidement. Verser une cuillerée de cette sauce sur chaque filet de turbot et parsemer généreusement de copeaux de truffes blanches.

Pour 4 personnes :
1 filet de turbot de 900 g – de préférence avec sa peau blanche, dans la mesure où celle-ci donne quasiment un goût de viande au poisson et où on peut la manger.
1 cuil. à soupe d'huile de tournesol
40 g de beurre
Jus d'un demi-citron
100 ml de jus de veau – (voir chapitre Fonds et Sauces)
60 g de truffes blanches

Pour la purée de pommes de terre :
500 g de pommes de terre à chair farineuse épluchées
60 g de coquilles de beurre froid
150 ml de lait chaud (ou plus si nécessaire)
Sel
Noix de muscade fraîchement râpée

Pour 4 personnes:
4 langoustes de 500 g
60 g de beurre
Sel
30 g d'huile à friture
50 g de lames de truffes noires
200 g de poivrade
(petits artichauts
que l'on mange à la croque au sel)
2 cuil. à soupe d'huile d'olive
Poivre blanc fraîchement moulu

Langoustes aux truffes noires cuites au beurre

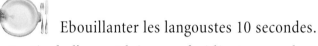 Ebouillanter les langoustes 10 secondes. Sortir de l'eau et laisser refroidir. Avec un bon couteau de cuisine, couper en deux dans le sens de la longueur et retirer l'estomac et les boyaux.

Faire chauffer de l'huile dans une grande poêle et y déposer les langoustes du côté incisé. Faire cuire doucement 5 minutes environ. Retourner, jeter l'huile, saler légèrement et ajouter du beurre. Baisser éventuellement le feu pour ne pas faire brûler le beurre. Cuire encore 3 ou 4 minutes. Peu avant la fin de la cuisson, ajouter les lames de truffes dans le beurre et en recouvrir les langoustes. Laver les artichauts, retirer les petites feuilles vertes externes et couper les pointes. Couper en quatre et faire sauter rapidement dans l'huile d'olive. Assaisonner et servir avec les langoustes cuites. Ill. page 135.

Lotte aux truffes noires
à la sauce aux lentilles

Nettoyer le poisson (enlever les petites peaux brunes et les veines), de façon à ne garder que la chair blanche. Peler les truffes, les couper en bâtonnets de 5 mm d'épaisseur et en piquer les filets. Saler, faire revenir rapidement dans de l'huile, et faire cuire avec le beurre environ 20 minutes à four moyen (190°C) préchauffé. Surveiller la cuisson en rajoutant souvent de l'eau. Pendant ce temps, faire revenir les bardes de lard dans de l'huile. Couper l'échalote, l'ail et les champignons en tranches et ajouter le thym. Ajouter le concentré de tomates et mouiller de vinaigre balsamique. Faire réduire et mouiller avec le fond de volaille. Faire réduire à nouveau. Ajouter la crème liquide et la crème fraîche. Faire bouillir, mélanger légèrement et passer. Verser les lentilles vertes cuites dans cette sauce. Ajouter éventuellement une pincée de poivre de Cayenne ou un peu de vinaigre balsamique. A la sortie du four, retirer l'arête de la lotte, couper en tranches et servir avec la sauce aux lentilles. Accompagner d'épinards revenus dans du beurre.

Pour 4 personnes :
1 lotte de 1,2 kg
Sel
80 g de truffes noires
20 g de beurre
3 cuil. à soupe d'huile d'olive
30 g de bardes de lard fumé
3 échalotes
1 gousse d'ail
4 champignons de Paris
1 cuil. à soupe d'huile
1 brin de thym
1/2 cuil. à café de concentré de tomates
4 cl de vieux vinaigre balsamique
1/4 l de fond de volaille –
(voir chapitre Fonds et Sauces)
200 ml de crème liquide
2 cuil. à soupe de crème fraîche
80 g de lentilles vertes du Puy cuites à l'eau

Pour 4 personnes :
2 soles de 600 g chacune
1 demi-citron
Sel

A quoi s'ajoutent :
2 petites laitues bien fermes
20 g de beurre
60 g de brunoise de carottes
60 g de brunoise de truffes noires
Sel
400 ml de sauce au champagne –
(voir recette page 132)
2 jaunes d'œufs pour lier

Filets de sole aux truffes noires sur un lit de laitue cuite

Laver les soles, enlever la peau et les apprêter en filets. Garder les arêtes pour le fond de poisson. Faire revenir la brunoise de carottes dans du beurre. Ajouter les feuilles de laitue lavées, assaisonner et faire cuire 5 minutes à découvert afin que le liquide s'évapore. Mélanger tout en remuant 4 cuil. à soupe de sauce au champagne et les jaunes d'œufs. Faire bouillir la sauce au champagne et ajouter cette liaison. Arrêter l'ébullition pour éviter la formation de grumeaux. Ajouter la brunoise de truffes et verser cette sauce sur la laitue cuite. Répartir dans quatre cassolettes beurrées. Frotter les filets de sole avec le demi-citron, saler et rabattre la partie fine des extrémités. Placer les filets deux par deux dans la laitue, mettre au four et faire cuire à 220°C (chaleur par le haut) pendant 4 à 6 minutes. Ill. pages 138/139.

Cuisses de grenouilles sautées au beurre de persil

Pour 4 personnes :
24 paires de cuisses de grenouilles
Sel
Poivre noir
Un peu de farine
3 cuil. à soupe d'huile d'olive
50 g de truffes blanches

Beurre composé :
50 g de beurre
1 gousse d'ail finement hachée
Jus d'un demi-citron
1 pincée de zeste de citron râpé
1/2 botte de persil plat

Laver les cuisses de grenouilles, enlever la peau, les séparer l'une de l'autre et les poser sur un linge sec. Pour le beurre composé, battre le beurre jusqu'à obtention d'une consistance mousseuse. Mélanger avec l'ail et le persil finement hachés, le zeste de citron râpé, le jus de citron, le sel et le poivre blanc. Mettre de côté.

Assaisonner les cuisses de grenouilles, les passer dans la farine et faire sauter dans l'huile jusqu'à ce qu'elles soient bien dorées. Jeter l'huile et continuer la cuisson avec le beurre composé. Servir sur un plat avec des copeaux de truffes. Accompagner d'un risotto au champagne ou de pommes de terre sautées coupées en cubes.

Pour 4 personnes :
4 endives
40 g de beurre
1 cuil. à soupe de sucre glace
1 jus de limette
Sel

A quoi s'ajoutent :
16 noix de Saint-Jacques dans leur
coquille
1 cuil. à soupe d'huile
20 g de beurre
60 g de tranches de truffes noires
8 cl de porto blanc
30 g de petits morceaux de beurre
très froid
Sel
Un peu de poivre de Cayenne

Noix de Saint-Jacques sur un lit d'endives aux truffes noires

Ouvrir les coquilles Saint-Jacques en passant un couteau résistant entre les valves et en sectionnant le muscle interne de la valve plate. Enlever la valve plate, détacher le mollusque, retirer le bord des branchies et les parties grises. Laver soigner soigneusement les petites noix blanches et les mettre de côté. Laver les endives et ôter le trognon. Les couper en bandes de 3 cm d'épaisseur. Les faire revenir dans du beurre, saupoudrer de sucre glace et arroser du jus de limette. Cuire à point à feu doux, mais sans faire prendre trop de coloration. Verser de temps en temps une cuillerée d'eau. Assaisonner. Faire chauffer les tranches de truffes dans du beurre, saler et mouiller de porto. Faire réduire de moitié et lier avec les petits morceaux de beurre froid. Assaisonner de poivre de Cayenne. Garnir les coquilles nettoyées avec les endives glacées. Cuire rapidement les noix de Saint-Jacques dans l'huile, assaisonner, disposer sur les endives et napper de beurre de truffes. Ill. page 143.

Sauté de homard aux topinambours et aux truffes noires

Pour 4 personnes :
2 homards bretons de 800 g environ
Un peu d'huile pour la cuisson
30 g de beurre

A quoi s'ajoutent :
200 g de topinambours épluchés
100 g de tomates cerises pelées
80 g de tranches de truffes noires
30 g d'huile d'olive vierge extra
20 g de beurre
100 ml de fond de poisson –
(voir chapitre Fonds et Sauces)
1 gousse d'ail avec la peau
1 cuil. à café d'échalotes en petits dés
Sel
1 pincée de sucre
Poivre blanc fraîchement moulu
Noix de muscade fraîchement râpée

Plonger les homards dans l'eau bouillante la tête en avant, retirer au bout de 10 secondes et laisser refroidir. Retirer les queues, partager les corps en deux et ôter l'estomac. Tailler les queues des homards en diagonale pour former des médaillons, sans oublier de retirer les boyaux. Couper l'ail et les échalotes en petits dés et faire blondir dans l'huile d'olive. Ajouter les tomates cerises pelées, assaisonner de sel, d'une pincée de sucre et de poivre blanc. Verser le fond de poisson et laisser mijoter jusqu'à ce que le tout prenne la consistance d'une sauce. Couper d'abord les topinambours en deux dans le sens de la longueur, puis en petits quartiers. Faire dorer à feu doux dans du beurre et assaisonner de sel et de noix de muscade fraîchement râpée. Prendre une poêle, saisir les homards (corps et médaillons) dans de l'huile et saler. Jeter l'huile au bout de 2 minutes, retourner les homards et continuer la cuisson dans du beurre frais. Ajouter les tranches de truffes au dernier moment. Servir bien cuit.

Le paradis perdu de la truffe
– Un conte

Il était une fois un pays où il y avait tellement de truffes que même les chênes en entendaient parler. L'histoire relate une production annuelle de 2 000 tonnes, sans même que les sangliers aient été consultés. C'est alors que monta sur le trône un roi, ou plutôt un empereur, qui répondait au nom de Bonaparte et se mit à faire un peu la guerre. Il avait besoin pour cela de beaucoup de grosses planches de chêne, pour ses frégates notamment. Dans tout l'empire, on se mit alors à abattre des forêts. Car faire la guerre était encore une des occupations favorites de ces messieurs-dames. Là-dessus se greffèrent les débuts de l'industrialisation. Il fallut faire chauffer le fer et poser les madriers des traverses des voies ferrées. Jusqu'au moment où on s'aperçut que les forêts commençaient à faire grise mine. Et cela s'aggrava encore : la truffe se fit rare dans les assiettes des dirigeants. Les gloutons et les sages se mirent alors à réfléchir et à replanter des forêts. Après la malédiction du phylloxéra, la truffe s'empara du vignoble et tout s'arrangea : en 1914, on enregistrait à nouveau plus de 914 tonnes de truffes. Puis ce fut la guerre. Puis il y en eut encore une autre. Et ensuite Bruxelles. Et la monoculture. Si elle n'est pas morte, elle ne fait plus aujourd'hui que survivre, la truffe : 60 tonnes en France. Une misère !

Entremets
et légumes

Petits choux de Milan farcis au jambon et à la mie de pain

Pour 6 à 8 personnes :
1 beau chou vert de Milan
200 g de lamelles d'oignons blancs
80 g de rondelles de truffes noires
1 cuil. à soupe de saindoux
150 ml de fond de volaille –
(voir chapitre Fonds et Sauces)
300 g de crépine mise à tremper

Pour la farce :
300 g de mélange de viandes
hachées
(porc et veau)
80 g d'oignons
1 petite gousse d'ail
1 cuil. à soupe de saindoux
120 g de lard de poitrine cuit
1/2 cuil. à café de marjolaine
séchée
1 bouquet de persil plat
1 petit pain de la veille
Un peu de lait tiède
1 œuf
Sel
Poivre noir

Eplucher les oignons et l'ail, puis les tailler en lamelles. Détacher le persil du bout des doigts et le laver. Enlever la couenne et le cartilage du lard de poitrine et couper en gros morceaux. Faire chauffer le saindoux, y faire blondir les oignons, l'ail et le lard de poitrine. Retirer du feu et parsemer de persil. Verser le lait tiède sur le petit pain et laisser ramollir. Presser pour exprimer le lait et passer au hachoir (grille fine) avec le mélange oignons-lard de poitrine. Mélanger le tout avec la viande hachée, ajouter un œuf et assaisonner de sel et de poivre noir.

Faire blanchir les feuilles du chou de Milan, puis les plonger sous l'eau froide. Bien essorer sur un linge. Couper le trognon, placer une rondelle de truffe au milieu de chaque feuille, recouvrir d'une bonne cuillerée de farce et former un petit chou. Garnir d'une nouvelle rondelle de truffe et enrouler dans de la crépine. Faire chauffer le saindoux dans une poêle et faire revenir les rondelles d'oignon. Placer les petits choux dans la poêle de façon qu'ils soient très serrés et mouiller avec le fond de volaille. Couvrir de papier sulfurisé, mettre au four et cuire à 180°C entre 35 et 40 minutes. Servir un petit chou par personne et napper avec le fond. Ill. pages 152–153.

Truffes sous la cendre

Brosser les truffes et les enrouler chacune dans une tranche de lard. Les poser sur un papier beurré des deux côtés, arroser d'un peu de cognac et saler. Emballer, mouiller avec un peu d'eau, poser dans du charbon encore légèrement rouge et cuire juste à point 35 minutes environ. Retirer, enlever le papier brûlé et servir dans une serviette. A la maison, on peut avoir recours au four, que l'on préchauffera à 210°C. Poser les truffes emballées dans le papier sur une plaque et cuire 45 minutes environ. Servir comme décrit ci-dessus. Il s'agit là d'une des plus anciennes recettes de truffes que l'on ne prépare plus aujourd'hui que dans des restaurants gastronomiques de cuisine traditionnelle.

Pour 4 personnes :
4 truffes noires de 60 g chacune (brossées, mais non pelées)
4 tranches fines de lard de poitrine (non fumé)
Un peu de vieux cognac
Sel

... On dit, dans
mon pays natal,
que pendant
un bon repas
on n'a pas soif,
mais bien
« faim de boire ».

Ragoût de salsifis noirs truffés sous pâte feuilletée

Pour 6 personnes :
250 g de salsifis noirs
1 jus de citron
Sel
80 g de brisures de truffes noires finement hachées
20 g de beurre
100 ml de fond de volaille
Noix de muscade fraîchement râpée
3 cuil. à soupe de sauce béchamel
1 cuil. à soupe de crème fraîche
300 g de pâte feuilletée toute prête
1 jaune d'œuf pour dorer
Fond de volaille et sauce béchamel – (voir chapitre Fonds et Sauces)

Eplucher les salsifis noirs, les jeter entiers dans de l'eau bouillante salée additionnée d'un jus de citron et faire cuire 10 minutes. Les faire refroidir dans de l'eau glacée et émincer en coupant en diagonale. Faire revenir les truffes dans du beurre et ajouter les salsifis. Arroser de fond de volaille, couvrir et laisser mijoter 5 minutes. Ajouter la sauce béchamel et la crème fraîche et assaisonner de noix de muscade râpée. Laisser refroidir le ragoût puis en garnir de petits moules qui vont au four. Etaler la pâte feuilletée pour former une abaisse de 3 mm d'épaisseur, y découper des ronds dont le diamètre aura 2 cm de plus que celui des petits moules. Recouvrir les moules avec ces abaisses en appuyant bien sur les bords. Badigeonner de jaune d'œuf et faire cuire environ 5 minutes dans un four préchauffé à 220°C. Réduire ensuite la température à 190°C et cuire encore 10 minutes. La pâte doit former un petit dôme et ne pas retomber. On servira ce plat dès sa sortie du four : car c'est la seule façon, en piquant dans la pâte, de libérer le parfum chaud de la truffe. Ill. pages 156–157.

Endives à la crème d'amande et aux truffes noires

Faire blondir les champignons de Paris et les échalotes émincés dans du beurre. Mouiller de champagne et de Noilly-Prat et faire réduire presque entièrement. Verser le fond de volaille et réduire à nouveau presque entièrement. Ajouter la crème liquide et la crème fraîche, les amandes émincées qu'on a fait dorer et porter à ébullition. Additionner de muscade et de poivre de Cayenne, mélanger légèrement et passer au chinois. Couper pendant ce temps les truffes noires en lamelles, les « réchauffer » dans un peu de beurre et mouiller de madère. Débarrasser de leur peau les amandes échaudées dans le lait et les couper en bâtonnets. Placer les endives deux par deux dans un sachet sous vide avec le sel, le sucre, le jus de limette et la moitié du beurre, et faire cuire 25 minutes à l'eau bouillante. Plonger ensuite dans de l'eau très froide, retirer les endives du sachet et faire revenir doucement à la poêle dans le reste du beurre. Saupoudrer d'un peu de sucre glace et d'une pincée de sel. Dresser sur un plat. Napper avec la sauce et décorer avec les lamelles de truffes noires et les amandes en bâtonnets. Veiller à ce que l'endive ne soit ni trop grosse ni trop amère. Ill. page 161.

Pour 4 personnes :
4 endives
40 g de beurre
3 cuil. à soupe de sucre glace
1 jus de limette
Sel

Pour la sauce :
20 g d'échalotes
30 g de champignons de Paris
30 g d'amandes émincées légèrement grillées
20 g de beurre
8 cl de champagne ou de vin blanc
6 cl de Noilly-Prat
350 ml de fond de volaille – (voir chapitre Fonds et Sauces)
200 ml de crème liquide
150 ml de crème fraîche
Sel
1 pincée de poivre de Cayenne
100 g d'amandes cuites dans du lait
100 g de truffes du Périgord pelées
10 g de beurre
2 cl de madère

Julienne de légumes aux truffes noires hachées

Pour 4 personnes :
50 g de cosses de petits pois
50 g de branches de céleri
50 g de carottes fines
50 g de petits champignons de couche
50 g de petits oignons blancs de printemps
40 g de beurre
Sel
1 pincée de sucre glace
Poivre blanc fraîchement moulu
40 g de brisures de truffes noires hachées
1 cuil. à soupe de cerfeuil

Nettoyer les cosses, enlever les extrémités et les couper en deux en biseau. Les faire blanchir, puis les plonger dans l'eau froide et laisser égoutter. Retirer les fils des branches de céleri et couper en tranches de 5 mm d'épaisseur, ainsi que les oignons blancs. Eplucher les carottes, couper les plus longues en deux. Retirer les queues des champignons et laver soigneusement. Glacer les carottes et le céleri avec 10 g de beurre, une pincée de sucre et du sel en veillant à ce qu'ils restent croquants. Faire blondir les oignons de printemps dans 10 g de beurre, assaisonner et cuire à l'étuvée. Faire dorer les champignons entiers dans le reste du beurre. Mélanger les légumes et les cosses de petits pois et ajouter les truffes hachées. Faire revenir à feu vif, dresser sur un plat ovale et décorer de feuilles de cerfeuil. On peut tout aussi bien utiliser des légumes comme le chou Romanesco, des oignons blancs, du brocoli, des salsifis noirs ou des girolles. Ce plat accompagne très bien une volaille rôtie.

Belles de Boskoop
aux truffes noires
cuites au beurre

Eplucher et épépiner les pommes avec un vide-pomme. Les couper en tranches de 2 mm, ainsi que les truffes pelées. Placer une lame de truffe entre chaque tranche de pomme. Ficeler avec du fil de cuisine pour que les pommes ne se désintègrent pas en cuisant. Les mettre dans une petite casserole en cuivre beurrée, assaisonner avec le sel, le sucre glace et la muscade. Faire cuire à four moyen (180°C). Mouiller régulièrement avec le beurre en veillant à ce que les tranches de pommes et de truffes conservent leur forme d'origine. La cuisson de la pomme aux truffes est terminée lorsque le liquide qui s'est formé avec le beurre a la consistance d'un sirop. Servir les pommes arrosées de leur jus de cuisson. On peut, si on le désire, présenter ce plat avec une petite tranche de foie gras de canard. Ill. pages 164/165.

Pour 4 personnes :
4 pommes Belles de Boskoop moyennes
4 truffes noires de 50 g
40 g de beurre
1 pincée de sucre glace
Sel
Noix de muscade fraîchement râpée

Pour 4 personnes :
500 g de haricots mange-tout
20 g de beurre
1 échalote en petits dés
250 g de crème aigre à 30% au
moins de matière grasse
ou de la crème fraîche
60 g de truffes noires hachées
50 g de petits lardons
Sel
Poivre blanc fraîchement moulu

Haricots mange-tout à la crème aigre et aux truffes noires

Laver les haricots mange-tout, enlever les extrémités et les couper en diagonale. Les faire blanchir à grande eau salée puis les plonger rapidement dans l'eau froide. Faire blondir les petits dés d'échalote dans le beurre fondu. Ajouter les truffes hachées et les haricots blanchis et faire revenir le tout à feu vif. Assaisonner et verser la crème aigre ou la crème fraîche. Porter à ébullition et servir en parsemant de petits lardons frits. On peut aussi réaliser cette recette avec des haricots filets ou des fèves. Les proportions et la préparation sont les mêmes. Avec un rôti d'agneau ou de veau, ce plat constitue également une excellente garniture. Ill. pages 166–167.

Truffe noire
au beurre de sherry

Pour 2 personnes :
Une grosse truffe noire de 150 à
180 g
15 g de beurre frais
2 cl de Cream Sherry
Sel
Beurre de sherry fouetté –
(voir chapitre Fonds et Sauces)

Brosser et peler délicatement la truffe. Faire fondre le beurre dans une petite casserole adéquate et y mettre la truffe entière. Assaisonner d'un peu de sel, mouiller de sherry et couvrir aussitôt. Faire cuire à feu doux pendant 15 à 20 minutes tout en retournant régulièrement la truffe et en l'arrosant de son propre jus. Servir sur un petit plat en argent. Couper la truffe en tranches de 5 mm environ, napper d'un peu de beurre de sherry et consommer sans garniture. C'est la meilleure manière de goûter la saveur de la truffe. Ill. pages 170–171.

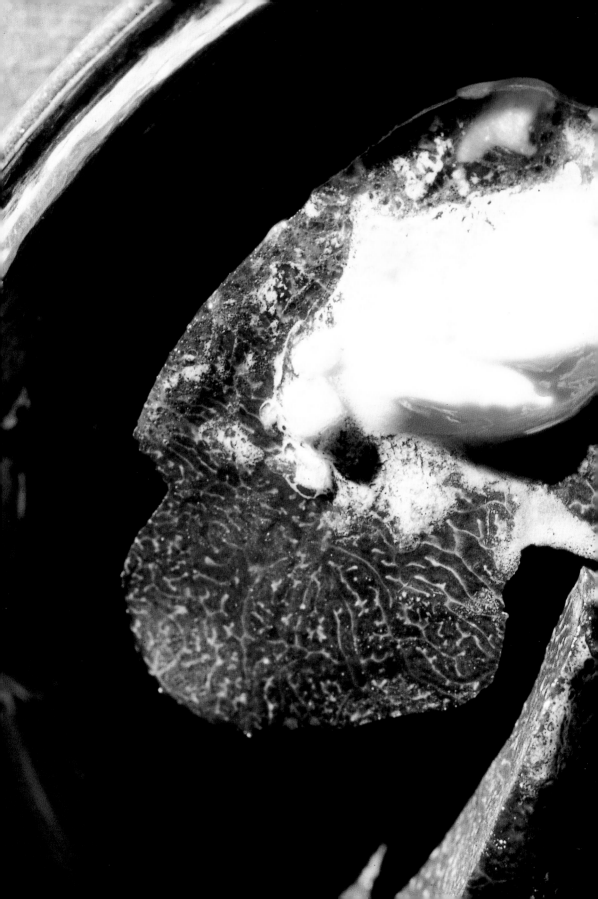

Abats

Foie gras cuit
aux figues braisées

Laver les figues et les placer dans une cassolette beurrée de façon à bien les serrer. Mouiller de vin rouge et de porto. Mettre au four et cuire environ 25 à 30 minutes à 190°C. Pendant ce temps, faire blondir les tranches de truffes dans du beurre et ajouter la sauce brune de volaille. Faire mijoter à feu doux. Couper le foie gras en tranches d'1,5 cm d'épaisseur. Assaisonner, passer dans la farine et saisir chaque côté dans une poêle anti-adhésive avec un peu d'huile. Accommoder chaque tranche de foie gras d'une ou deux figues selon la taille. Une cuillerée à soupe du jus de cuisson du foie gras incorporée à la sauce lui donnera une touche finale. Napper de sauce aux truffes et servir très chaud. Ill. page 174.

Pour 4 personnes :
8 figues mûres
100 ml de vin rouge corsé (Merlot)
180 ml de porto rouge
10 g de beurre

A quoi s'ajoutent :
350 g de foie gras
Sel
Poivre noir fraîchement moulu
Un peu de farine
1 cuil. à soupe d'huile
100 g de truffes noires en tranches
10 g de beurre
150 ml de sauce brune à la volaille –
(voir chapitre Fonds et Sauces)

« Foie de veau à la boulangère » : foie de veau aux échalotes glacées et truffes du Périgord

Mettre les échalotes sans les éplucher dans un poêlon en fonte et faire cuire au four (200°C) 25 minutes environ. Eplucher les échalotes et les mettre de côté. Pendant ce temps, faire revenir les tranches de truffes dans du beurre et mouiller avec le jus de veau. Laisser doucement mijoter. Faire revenir de chaque côté les tranches de foie dans du beurre. Ajouter les échalotes cuites, saler et assaisonner de poivre noir et de marjolaine. Dresser le tout sur une assiette. Comme plat principal, cette recette pourra être servie avec une purée de pommes de terre. Ill. pages 178–179.

Pour 4 personnes :
400 g de foie de veau de lait coupé en tranches
30 g de beurre pour la cuisson
Sel
Poivre noir fraîchement moulu
1 petite pincée de marjolaine séchée

A quoi s'ajoutent :
200 g de petites échalotes non épluchées
100 g de tranches de truffes noires
10 g de beurre
150 ml de jus de veau –
(voir chapitre Fonds et Sauces)

Foie de veau à la Boulangère

Pour 4 personnes :
400 g de ris de veau qu'on a fait dégorger
40 g de bâtonnets de truffes noires
30 g de beurre
1 cuil. à soupe d'huile
Sel
Poivre blanc fraîchement moulu

A quoi s'ajoutent :
80 ml de jus de veau –
(voir chapitre Fonds et Sauces)
500 g de topinambours
40 g de beurre
Sel
Noix de muscade fraîchement râpée

Ris de veau piqués de truffes noires accompagnés de topinambours

Séparer le ris de veau en 12 petits morceaux réguliers que l'on piquera avec les bâtonnets de truffes. Faire cuire doucement des deux côtés dans le mélange beurre-huile et assaisonner de sel et de poivre blanc. Eplucher, puis émincer les topinambours. Les faire revenir dans du beurre et procéder comme pour des pommes de terre sautées. Assaisonner de sel et de muscade fraîchement râpée. Dresser les topinambours sur des assiettes et disposer les ris de veau tout autour. Mouiller le jus de cuisson des ris de veau avec le jus de veau et réduire rapidement. Verser sur les ris de veau. Décorer éventuellement de quelques feuilles de céleri-branches. Ill. page 180.

Ris de veau sautés accompagnés de beignets de chou-fleur et de truffes blanches

Mélanger le vin blanc, la farine, la levure chimique et les jaunes d'œufs et remuer jusqu'à obtenir une pâte lisse. Ajouter l'huile de tournesol. Battre les blancs d'œufs avec un peu de sel sans les rendre pour autant trop fermes et incorporer au mélange en soulevant délicatement. Couvrir et laisser reposer une demi-heure environ.

Parer les ris de veau qu'on aura fait dégorger et couper en morceaux de la taille d'une noix. Cuire dans un mélange beurre-huile et assaisonner de sel et de poivre. Pendant ce temps, plonger les petits bouquets de chou-fleur bien essuyés dans la pâte et faire frire dans l'huile bien chaude (160°C). Faire égoutter sur du papier de ménage. Disposer les fleurettes de chou-fleur au milieu de l'assiette de façon décorative et intercaler les ris de veau. Former tout autour une couronne de crème aigre épaisse que l'on parsèmera de copeaux de truffes blanches.

Pour 4 personnes :
350 g de ris de veau qu'on a fait dégorger
30 g de beurre
1 cuil. à soupe d'huile pour la cuisson
Sel
Poivre blanc fraîchement moulu

A quoi s'ajoutent :
100 ml de crème aigre épaisse
200 g de fleurettes de chou-fleur blanchies
40 g de truffes blanches

Pour la pâte :
125 g de farine type 45
120 ml de vin blanc sec
40 ml d'huile de tournesol
2 jaunes d'œufs
2 œufs
Sel
1 pincée de levure chimique
Huile à friture

La truffe ?
Une affaire
d'odorat

La truffe repose donc dans un humus riche en calcaire, se délecte des hydrates de carbone que lui prodigue l'arbre avec lequel elle a lié amitié, se désaltère de la chaude humidité du dernier orage, prend du volume et devient fort appétissante...?

C'est alors que les « nez » entrent en action. Les porcs, comme on l'a expliqué au début de cet ouvrage, savent renifler la truffe. Les chiens aussi, ils sont même devenus dans l'intervalle incontestablement majoritaires. Rares sont les provinces gauloises où l'on continue à « chasser » avec la truie. Il existe de véritables universités pour chiens où les animaux apprennent à dénicher le « diamant noir ». Ce genre de formation doit coûter dans les 10 000 francs et n'est même pas déductible des impôts. Un troisième animal incapable lui aussi de résister au parfum « érotique » de la truffe, est la chèvre. Mais elle est utilisée uniquement en Sardaigne.

La récolte se fait le plus souvent de nuit. Les avantages sont évidents : pas de fisc, pas de concurrence et les chiens ne sont pas distraits.

La méthode de chasse la plus originale exige une bonne vue.

On se plaque sur le sol en espérant apercevoir une mouche du type « Helomyza tuberivora ». Elle aime en effet dorloter ses œufs en leur faisant sentir le parfum de la truffe, c'est pourquoi elle les dépose juste au-dessus. Avec un peu de chance...

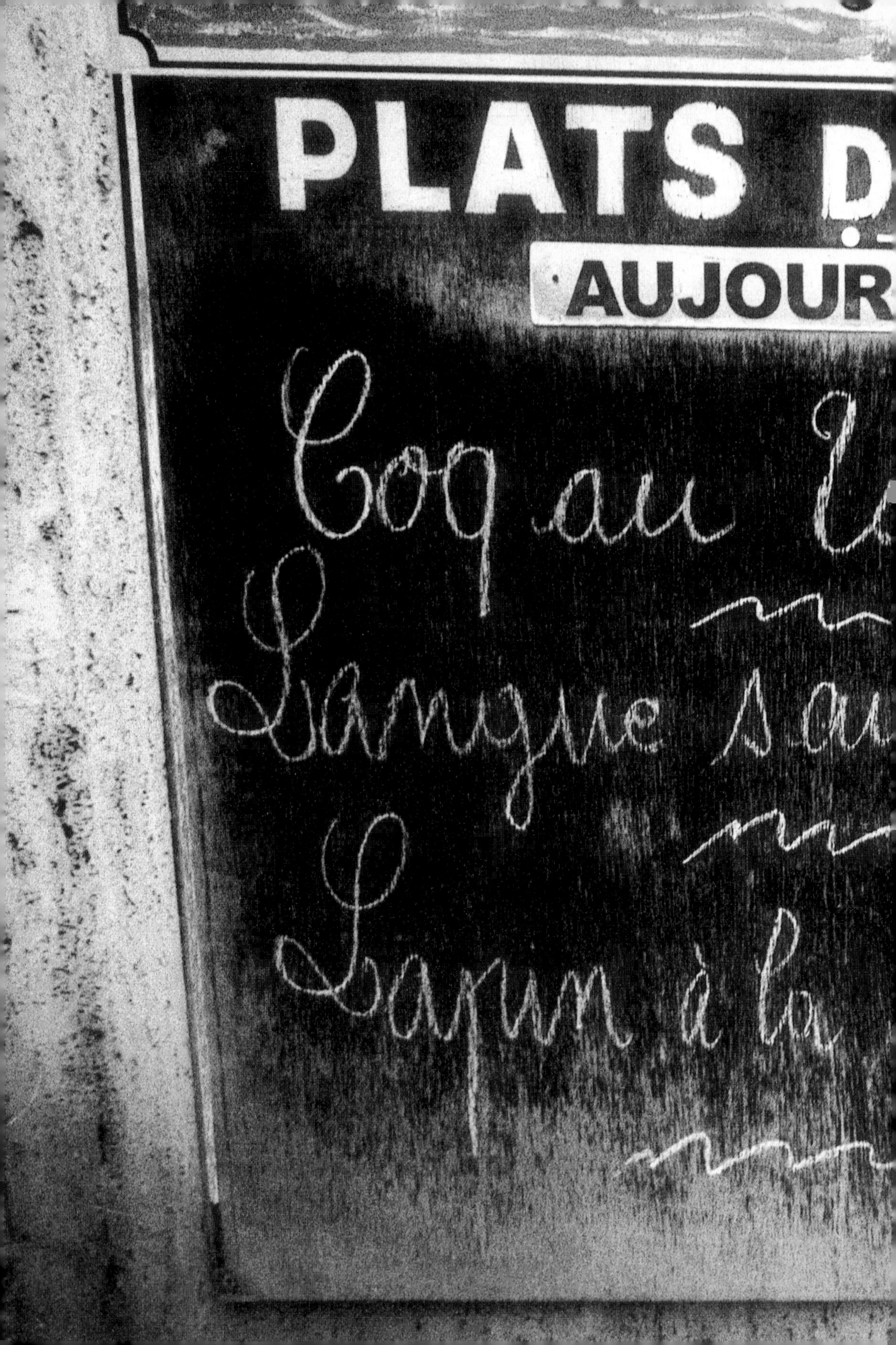

PLATS D

AUJOUR

Coq au

Langue sau

Lapin à la

JOUR

'HUI.

Volailles

Canards sauvages farcis aux figues et aux truffes

Pour 4 personnes :
2 canards sauvages de 800 g
Sel
Poivre blanc
5 baies de genièvre
3 feuilles de laurier
40 g de beurre clarifié
300 g de girolles fraîches
30 g de beurre
20 g d'échalotes en petits dés
1 cuil. à café de persil plat haché

Pour la farce :
80 g de baguette
2 œufs
50 ml de lait
60 g de foie de canard
150 g de figues sèches macérées dans du porto
80 g de truffe noire
Sel
Poivre noir fraîchement moulu
Noix de muscade fraîchement râpée

Pour la farce, couper la baguette en tranches fines et les imbiber de lait ; battre les œufs avec une fourchette et mélanger. Couper le foie de canard et la truffe en gros dés, partager les figues en quatre et mélanger délicatement le tout. Assaisonner, farcir les canards sauvages vidés et lavés de la préparation baguette-lait. Recoudre l'ouverture pratiquée dans le ventre des canards avec du fil de cuisine et bien enduire de sel.

Faire chauffer le beurre clarifié dans une cocotte adéquate, ajouter les baies de genièvre et les feuilles de laurier, puis y placer les canards côté cuisses. Faire cuire les deux faces des volailles environ 20 minutes dans un four préchauffé à 190°C. Arroser régulièrement. Retourner ensuite les canards sur le dos et continuer la cuisson pendant 20 minutes. La peau de la poitrine des volailles doit à présent être bien croustillante. Eventuellement, augmenter un peu la température. Laver les girolles, les trier et bien les égoutter. Préparer un beurre noisette dans une grande poêle et y mettre les champignons. Faire sauter, assaisonner et ajouter les petits dés d'échalote ainsi que le persil haché. Verser sur un plat et disposer les canards sur les champignons. Servir avec la sauce.

Ill. pages 192–193.

Blancs de faisan
sur lit de choucroute
à la sauce aux truffes

Faire légèrement caraméliser le sucre dans une casserole. Mouiller de vinaigre de fruits et faire réduire. Ajouter la graisse d'oie et faire blondir les lamelles d'oignon. Ajouter la choucroute, ainsi que le bouquet garni et le lard de poitrine. Verser le jus de pomme et l'eau, couvrir et faire cuire dans le four préchauffé à 190°C pendant une demi-heure. Retirer le bouquet garni et le lard de poitrine, lier si nécessaire avec un peu de fécule et ajouter les grains de raisins blancs. Assaisonner les blancs de faisan, ajouter les baies de genièvre et faire cuire du côté de la peau en arrosant régulièrement.

Faire revenir pendant ce temps les tranches de truffes dans du beurre et verser la sauce brune à la volaille. Faire mijoter à feu doux. Mettre la choucroute au milieu de l'assiette, disposer les blancs de faisan la peau vers le haut et border avec la sauce aux truffes. Servir avec une purée de pommes de terre (voir recette page 102).

Pour 4 personnes :
4 blancs de faisan avec la peau
et la jointure des ailes
30 g de beurre clarifié
4 baies de genièvre
100 g de tranches de truffes
noires
10 g de beurre
150 ml de sauce brune à la
volaille –
(voir chapitre Fonds et Sauces)

Pour la choucroute :
400 g de choucroute fraîche
2 cuil. à soupe de sucre
4 cuil. à soupe de vinaigre de
fruits
2 cuil. à soupe de graisse d'oie
2 oignons émincés
1/8 l d'eau
1/8 l de jus de pommes
1 morceau de 100 g de poitrine
fumée
150 g de raisins blancs sans peau
ni pépins

Pour le bouquet garni :
1 cuil. à café de carvi
10 baies de genièvre
3 clous de girofle
10 grains de poivre blanc
1 feuille de laurier
1 gousse d'ail

Poularde demi-deuil

Pour 6 à 8 personnes :
1 poularde de 1,8 à 2,2 kg
100 g de lames de truffes noires
80 g de beurre clarifié
5 l de fond de volaille –
(voir chapitre Fonds et Sauces)
200 g d'échalotes non épluchées
3 feuilles de laurier
200 ml de sauce à la crème et aux
truffes –
(voir chapitre Fonds et Sauces)

Vider et nettoyer la poularde. Enlever la peau avec les doigts à partir du cou. Détacher délicatement la peau de la poitrine et des cuisses. Glisser les lames de truffes sous la peau en veillant à les répartir équitablement. Ficeler avec du fil de cuisine. Une fois ficelée, la poularde « demi-deuil » était autrefois enveloppée dans un linge et enterrée pendant trois jours. La saveur de la truffe pouvait ainsi se déployer et la terre ajoutait sa touche particulière.

Pour obtenir un effet similaire, on peut laisser la poularde enroulée dans un linge imprégné de vinaigre pendant 24 heures. L'acidité provoque une légère maturation. Mettre la poularde dans le fond de volaille frémissant avec les échalotes et le laurier, et faire pocher une bonne demi-heure. Puis retirer, faire un peu égoutter, saler légèrement et continuer la cuisson au four (une heure à 160°C) dans du beurre clarifié. Ne pas oublier de poser d'abord la poularde côté cuisses. Arroser régulièrement. Retirer du four, découper et servir avec de la sauce à la crème et aux truffes (voir recette page 244). Ce plat s'accommode particulièrement bien d'un riz pilaf. Ill. page 197.

Jeune coq aux marrons

Vider, laver et bien essuyer le coq. Saler et poivrer l'intérieur et l'extérieur. Farcir avec le céleri en branches, les échalotes entières, le persil et le laurier. Ficeler le coq avec du fil de cuisine pour qu'il conserve sa forme en cuisant. Faire chauffer de l'huile dans une cocotte adéquate et y poser le coq côté cuisses. Préchauffer le four à 190°C et faire cuire de chaque côté 20 minutes environ. Arroser régulièrement. Poser ensuite la volaille sur le dos et continuer la cuisson 20 minutes. La peau qui recouvre le blanc doit être à présent bien croustillante. Eventuellement, augmenter un peu la température.

Faire dorer les marrons épluchés dans le beurre, saler et arroser de jus de pomme. Couvrir et faire cuire 10 bonnes minutes. Quand le coq est cuit, le sortir de la cocotte et le garder un petit moment au chaud. Rallonger le jus de cuisson avec un peu d'eau. Ajouter alors les marrons cuits ainsi que la sauce à la volaille. Faire bouillir encore un peu, puis remettre le coq sur les marrons et servir. Découper le coq et le présenter sur les marrons avec la sauce. Parsemer la volaille de copeaux de truffe blanche. Ill. pages 200–201.

Pour 6 personnes :
1 jeune coq d'environ 1,8 kg
1 branche de céleri
3 échalotes entières
Quelques brins de persil
2 feuilles de laurier
Sel
Poivre blanc fraîchement moulu
Un peu d'huile pour la cuisson
320 g de marrons épluchés
15 g de beurre
150 ml de jus de pomme clair
Sel
100 ml de sauce brune
à la volaille –
(voir chapitre Fonds et Sauces)
40 g de truffe blanche

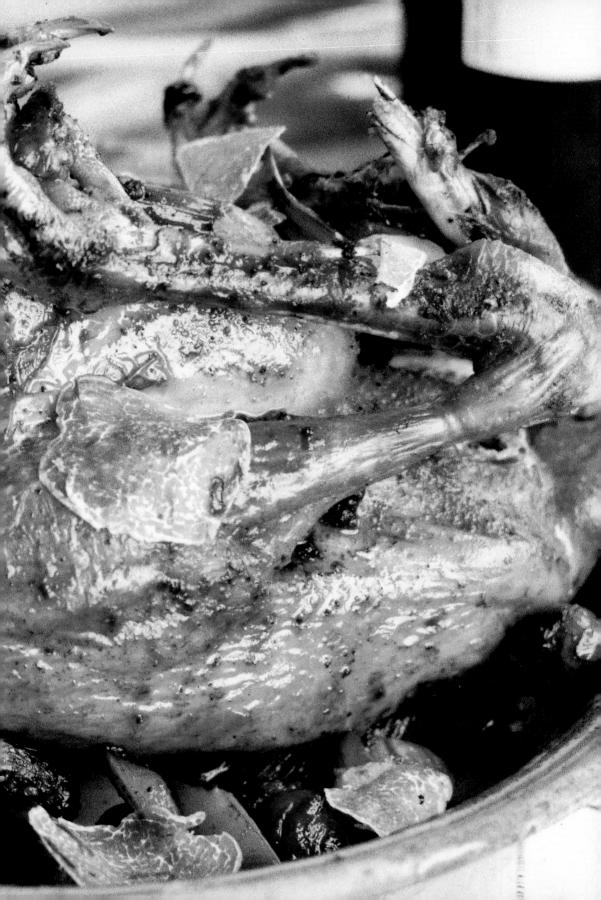

Cailles farcies aux pruneaux accompagnées de truffes noires

Vider, laver et essuyer les cailles. Les assaisonner avec le sel et le poivre, puis les farcir avec les pruneaux qu'on aura fait tremper au préalable dans l'armagnac. Placer le tout dans une cocotte adéquate avec le romarin et les feuilles de laurier. Mettre au four et faire cuire 20 minutes à 210°C. La peau devra être bien croustillante.

Sortir les cailles peu avant la fin de la cuisson. Tapisser le fond de la cocotte de tranches de baguette d'1 cm d'épaisseur. Disposer les lames de truffes en couches sur le pain, et ajouter les cailles. Napper de sauce à la volaille et remettre 5 minutes au four pour glacer. La baguette devra avoir absorbé la sauce. Comme boisson, un jeune porto soulignera la saveur sucrée des pruneaux. Ill. page 203.

Pour 6 personnes :
6 belles cailles
200 g de pruneaux
4 cl de vieil armagnac
1 rameau de romarin
4 feuilles de laurier
2 clous de girofle
30 g de beurre
Sel
Poivre blanc
1/2 baguette
100 g de lames de truffes noires
150 ml de sauce brune à la volaille –
(voir chapitre Fonds et Sauces)

Magret de canard fumé maison au jus de truffes et servi sur un lit de navets

Enlever tous les ligaments des magrets. Inciser légèrement la peau en losange. Broyer finement les épices avec le sel et le sucre dans un mortier et frotter les magrets avec cette poudre. Passer un fil dans le côté plat du magret et suspendre 3 jours dans la cheminée de la cuisine. Râper grossièrement les navets. Faire blondir les échalotes dans la graisse de canard. Ajouter le miel et mouiller de vinaigre de fruits. Ajouter les navets, assaisonner et arroser de fond de volaille. Couvrir et faire cuire une heure environ à feu doux.

Pour la sauce, faire légèrement revenir les tranches de truffes dans du beurre. Mouiller de madère et faire réduire. Verser la sauce à la volaille et laisser mijoter encore 10 minutes à feu très doux. Dresser les navets sur un plat ovale. Couper le magret fumé en tranches fines et disposer en écailles sur les navets. Arroser de sauce aux truffes. Servir avec de la purée de pommes de terre. Ill. pages 206/207.

Pour 4 personnes :
2 magrets de canard frais
1 cuil. à soupe de sel
1/2 cuil. à soupe de sucre
1/2 cuil. à café de poivre blanc
1/2 cuil. à café de grains de coriandre
3 baies de genièvre
3 grains de piment
500 g de navets
80 g d'échalotes en lamelles
50 g de graisse de canard
1 cuil. à soupe de miel
2 cuil. à soupe de vinaigre de fruits
350 ml de fond blanc de volaille –
(voir chapitre Fonds et Sauces)
Sel
Poivre blanc
80 g de tranches de truffes noires
20 g de beurre
4 cl de madère
150 ml de sauce à la volaille –
(voir chapitre Fonds et Sauces)

La truffe et le vin : entre l'amour et la haine

Le sujet ne retiendra pas longtemps l'attention du gourmet que seul intéresse le résultat final. Et pourtant la façon dont ces deux-là se marient dans la bouche ferait plutôt songer à un couple idéal. La raison pour laquelle on devrait se pencher à nouveau sur le sujet tient, disons-le franchement, à la « relation capricieuse » qu'entretiennent ces deux plaisirs. La truffe et le vin se partagent des zones climatiques fondamentalement identiques. Ils préfèrent la chaleur et une exposition au sud. L'un et l'autre ne supportent le gel qu'à dose homéopathique et si on veut devenir un grand vin, mieux vaut un sol pas trop riche en humus, plutôt aride même, avec une forte saturation en minéraux. C'est-à-dire qu'on aime aussi le calcaire, ce que la truffe apprécie également. A y regarder de près, la truffe est même la débitrice. Elle n'aime que trop s'incruster dans de vieux ceps de vigne si d'aventure un chêne s'est lui aussi fourvoyé dans les parages. Autrefois, on ne connaissait pratiquement que la polyculture. Vigne et arbres par exemple se partageaient le même terrain. Que pouvait-il en résulter, si ce n'est cette constellation favorable ? C'est de là que vient le nom du domaine viticole de Cassagne Haut-Canon à Fronsac, à savoir « La Truffière ». Et son propriétaire se plaît à raconter qu'il lui arrive de trouver des truffes entre les chênes.

Si la truffe recherche le voisinage des vieux pieds de vigne, c'est parce que leurs racines préparent le sol de façon remarquable.

Elles l'ameublissent, fendillent le calcaire parfois encore très compact et entretiennent avec la truffe un rapport réciproquement profitable que l'on n'est pas encore parvenu à élucider entièrement. Vu qu'aujourd'hui, dans les nouvelles plantations, on ôte tous les vieux pieds de vigne et qu'en outre, la polyculture n'existe presque plus, ce genre de relation se fait rare. Dans le dernier tiers du XIXᵉ siècle, le tubercule fut à l'honneur sur les tables. Le phylloxéra ravageait les vignes, laissant à la truffe un terrain on ne peut mieux préparé. La production monta en flèche, ce qui pour nombre de viticulteurs limita les dégâts. Mais qu'est-ce donc qui perturbe une relation jusqu'ici, pourtant harmonieuse, se demandera-t-on ? Eh bien, c'est le temps. Le raisin aime qu'il fasse chaud, mais pas trop pour que la véraison dure le plus longtemps possible et lui évite d'arriver trop tôt à maturation. Il aime qu'août, septembre et octobre soient relativement secs. Et c'est justement à cette époque que la truffe demande de la chaleur et de l'humidité. Elle connaît dans ces conditions un développement magnifique – de même que les autres champignons, ceux qui sont dangereux pour la vigne et lui rendent la vie impossible. La pluie fait en outre absorber beaucoup d'eau à la vigne, ce qui porte préjudice à la saveur du vin. Bref, ainsi qu'on l'a dit au début de cet ouvrage :

Une bonne année à truffes
est une mauvaise année à vin.
Et vice versa.

Viandes

Pour 4 personnes :
**500 g de salsiccia truffée
(saucisse à cuire italienne)
30 g de beurre
Quelques feuilles de sauge**

Pour les pommes de terre
écrasées :
**500 g de pommes de terre à chair
farineuse
100 g de beurre froid
Sel
Noix de muscade fraîchement
râpée**

Salsiccia aux pommes de terre écrasées et aux truffes blanches

Faire cuire les pommes de terre à l'eau bouillante salée jusqu'à ce qu'elles soient bien molles. Jeter l'eau de cuisson et laisser dégager la vapeur un moment. Ajouter du beurre, assaisonner de muscade et faire reposer une minute sans mélanger. Il ne reste plus qu'à incorporer le beurre et à travailler rapidement avec un presse-légumes. Cette variante toute simple de la purée de pommes de terre est l'accompagnement idéal de la salsiccia truffée. Faire cuire doucement la saucisse dans du beurre et ajouter les feuilles de sauge avant de servir. Parsemer à volonté de copeaux de truffe blanche. Ill. pages 216–217.

Jambon cuit
à la sauce aux truffes

Pour 10 à 12 personnes :
1 jambon cru salé à l'os de 1,5 à
3 kg environ
2 oignons
4 clous de girofle
2 feuilles de laurier
10 grains de poivre blanc

A quoi s'ajoutent :
Sauce aux truffes –
(voir chapitre Fonds et Sauces
Filet Rossini page 224) –
en hachant les truffes en gros
morceaux et en triplant la
quantité de sauce

Demander au boucher de faire saumurer le jambon à l'os (passer commande environ une semaine à l'avance). Eplucher les oignons et les piquer de feuilles de laurier et de clous de girofle. Mettre sur le feu un fait-tout rempli d'eau et porter à ébullition. Y placer le jambon à l'os, le poivre et les oignons. Faire mijoter à feu doux entre 2 et 3 heures environ. Puis le retirer et le découper sur une planche. Servir avec une sauce aux truffes et de la purée de pommes de terre (voir recette page 102).

Filet Rossini

Filet Rossini

Assaisonner le filet de bœuf de sel et de poivre noir, et faire cuire à petit feu des deux côtés dans un mélange beurre-huile. Le temps de cuisson est fonction du degré de cuisson souhaité. Mais il est généralement de 8 minutes, ce qui permet au filet de rester rose au milieu. Faire revenir pendant ce temps les rondelles de truffes dans du beurre, mouiller de madère et arroser de jus de veau. Faire légèrement griller le pain de mie dont on aura enlevé la croûte et poser au milieu de l'assiette. Couvrir avec le jus de veau et garder quelques minutes au chaud dans le four. Assaisonner les tranches de foie gras, les passer dans la farine et les faire cuire rapidement dans une poêle anti-adhésive. Poser ces tranches sur les filets et napper aussitôt avec la sauce aux truffes. Ill. page 220.

Pour 4 personnes :
4 filets de bœuf de 140 g
10 g de beurre
2 cuil. à soupe d'huile pour la cuisson

A quoi s'ajoutent :
150 g de foie gras coupé en 4 tranches
Sel
Poivre noir fraîchement moulu
Un peu de farine
4 tranches de pain de mie sans croûte d'1 cm d'épaisseur

Pour la sauce aux truffes :
120 g de rondelles de truffes noires
20 g de beurre
4 cl de madère
150 ml de jus de veau – (voir chapitre Fonds et Sauces)
Quelques copeaux de beurre froid pour lier

Morceaux de lapin braisés à la sauce au potiron

Couper le poireau, le céleri-rave et l'ail et les faire blondir dans du beurre. Ajouter les dés de potiron et faire suer à feu doux jusqu'à ce que le liquide ait presque entièrement disparu. Saupoudrer de paprika et mouiller aussitôt de quelques gouttes de vinaigre de fruits pour éviter que le paprika ne prenne un goût amer. Ajouter les grains de piment concassés et verser le fond de volaille. Faire mijoter 15 minutes à petit feu, mélanger et passer dans une passoire à petits trous. Assaisonner de muscade fraîchement râpée, ajouter la crème et mettre de côté.

Découper le lapin en morceaux (cuisses, épaules, râble coupé en deux). Assaisonner et faire braiser une trentaine de minutes dans le beurre avec le romarin et le laurier, à 170°C. Mouiller si nécessaire avec un peu d'eau. Napper le lapin de la sauce au potiron et remettre 10 minutes au four avec un couvercle. Servir avec des gnocchis de pommes de terre ou de la polenta, et parsemer de copeaux de truffe blanche. Ill. page 223.

Pour 6 personnes :
1 beau lapin d'environ 1,8 kg
1 rameau de romarin
2 feuilles de laurier
30 g de beurre
Sel
Poivre blanc fraîchement moulu

Pour la sauce au potiron :
250 g de potiron coupé en gros dés
60 g de blanc de poireau
60 g de céleri-rave
1/2 gousse d'ail
30 g de beurre
1 cuil. à café de paprika en poudre extra-doux
2 grains de piment concassés
Quelques gouttes de vinaigre de fruits
3/4 l de fond de volaille – (voir chapitre Fonds et Sauces)
75 ml de crème liquide
Sel
Noix de muscade fraîchement râpée
40 g de truffe blanche

Pour 8 personnes :
500 g de pâte feuilletée
1 jaune d'œuf pour dorer

Pour la farce :
**260 g d'agneau maigre prélevé
dans le gigot**
50 g de lard de poitrine fumée
**50 g de raisins de Corinthe
blonds trempés dans du cognac**
80 g de petits dés de foie gras
**50 g de noix grossièrement
hachées**
1 œuf
50 ml de crème liquide
Sel
Poivre blanc fraîchement moulu
**8 petites truffes pelées de 30 g
chacune**
10 g de beurre
2 cl de madère

Petits pâtés d'agneau aux truffes noires et aux raisins de Corinthe

Passer la viande d'agneau et le lard de poitrine au hachoir (grosse grille). Préparer une pâte homogène avec les raisins, les dés de foie gras, les noix, l'œuf, la crème et les épices. Faire blondir les truffes pelées dans du beurre, mouiller de madère, couvrir et continuer encore un peu la cuisson. Retirer du feu et mélanger le reste du fond avec la préparation.

Etendre la pâte feuilletée pour former une abaisse de 2 mm et découper des carrés de 9 cm de côté. Placer 40 g de farce sur chaque carré en laissant un bord d'au moins 1 cm que l'on badigeonne de jaune d'œuf. Poser une truffe au milieu et recouvrir d'un autre carré. Bien appuyer sur les bords et dorer au jaune d'œuf. Faire cuire d'abord 5 minutes dans le four préchauffé à 220°C, puis abaisser la température à 180°C. La cuisson est terminée quand la pâte est bien croustillante. On peut aussi façonner des pâtés plus petits et les servir lors d'une réception. Ill. pages 226/227.

Crépinettes de chevreuil aux truffes noires et à la compote de pommes

Pour 4 personnes :
8 côtelettes de chevreuil, soit
environ 350 g
Sel
Poivre noir
1 pincée de baies de genièvre
finement moulues
300 g de crépine de porc mise
à tremper
10 baies de genièvre écrasées
120 ml de jus de veau –
(voir chapitre Fonds et Sauces)
100 g de champignons de Paris
finement hachés
100 g de brunoise de branches
de céleri
10 g de beurre
Quelques gouttes de vinaigre de
vin blanc
60 g de hachis de chevreuil
Foie gras
Porto rouge
Sel et poivre blanc
80 g de tranches de truffes
noires
1 verre de pommes baby au jus
30 g de sucre roux
10 g de beurre
10 g de grains de poivre vert
1 cuil. à café de zeste de citron
en fines lamelles
Jus d'un demi-citron
Zeste d'orange

Faire blondir les champignons et le céleri dans du beurre, et mouiller de quelques gouttes de vinaigre. Lorsque le liquide s'est évaporé, verser dans un plat et mettre au frais. Lier avec le hachis de chevreuil et assaisonner. Assaisonner les côtelettes de chevreuil avec le sel, le poivre et la poudre de genièvre. Bien les enduire de chaque côté avec la préparation. Disposer deux tranches de truffe (une dessus et une dessous), et enrouler dans de la crépine. Faire fondre du beurre, y faire blondir les grains de poivre vert et mouiller de jus de citron. Ajouter le sucre et les zestes de citron et faire revenir rapidement avec les pommes baby. Retirer du feu. Dans de l'huile chaude, mettre les crépinettes de chevreuil avec les baies de genièvre écrasées et un peu de zeste d'orange, et faire cuire des deux côtés à feu doux pendant 4 minutes environ. Présenter sur une assiette ovale à raison de deux crépinettes par personne, et disposer des pommes glacées tout autour. Rallonger le résidu de la cuisson avec le jus de veau, passer et faire un peu réduire. Verser sur les crépinettes et servir. Ill. pages 228–229.

... C'est la plus capricieuse, la plus révérée des princesses noires. On la paie son poids d'or ...

Collet de veau piqué de céleri au beurre de truffes

Pour 6 à 8 personnes :
1 pièce de 1,2 kg de collet de veau
80 g de rondelles de céleri-rave
d'1/2 cm d'épaisseur
Sel
Un peu de sucre
Poivre blanc fraîchement moulu
30 g de beurre
250 g de petites pommes Boskoop
surettes
4 cl de calvados
Beurre de truffes –
(voir chapitre Fonds et Sauces)

Piquer le collet de veau de lamelles de céleri cru avec une lardoire et ficeler avec du fil de cuisine pour donner une forme. Couper les pommes en quatre sans les éplucher, enlever les pépins et mélanger avec un doigt de calvados. Assaisonner le collet et faire revenir dans une daubière avec du beurre. Ajouter les quartiers de pommes, saupoudrer d'un peu de sucre, couvrir et cuire au four à 180°C. Mouiller de temps en temps le jus de cuisson d'un peu de calvados et arroser la viande. Celle-ci devrait être à point au bout d'1 heure et quart ou 1 heure et demie.

Retirer le fil et découper le collet de veau. Servir avec les pommes et terminer en nappant la viande de beurre de truffes. On accommodera ce plat de petites pommes de terre rôties avec leur peau ou de pâtes fraîches faites maison. Ill. page 232.

Côtelettes d'agneau en manteau d'artichauts et de truffes

Retirer les feuilles externes des artichauts, détacher les queues et couper de façon qu'il ne reste que le cœur. Retirer le foin avec une petite cuiller et couper en fines lamelles. Lier légèrement avec les lamelles de truffes, le sel, le jaune d'œuf et la farine puis verser sur les côtelettes d'agneau.

Mettre l'huile d'olive dans une poêle qui n'attache pas et faire rôtir de chaque côté les côtelettes garnies en ajoutant le thym et l'ail. Quand elles sont bien dorées, les retirer, rallonger le jus de cuisson avec le jus de veau, passer et verser tout autour des côtelettes. Servir en accompagnement des gnocchis de pommes de terre ou de la polenta.

Pour 4 personnes :
8 côtelettes d'agneau d'un poids total de 400 g environ
Sel
Poivre noir fraîchement moulu
1 brin de thym
2 gousses d'ail écrasées avec leur peau
1 cuil. à soupe d'huile d'olive
140 ml de jus de veau – (voir chapitre Fonds et Sauces)
4 gros artichauts
50 g de truffes noires en fines lamelles
Sel
1 jaune d'œuf
1 cuil. à café de farine

Fonds, sauces et
beurres composés

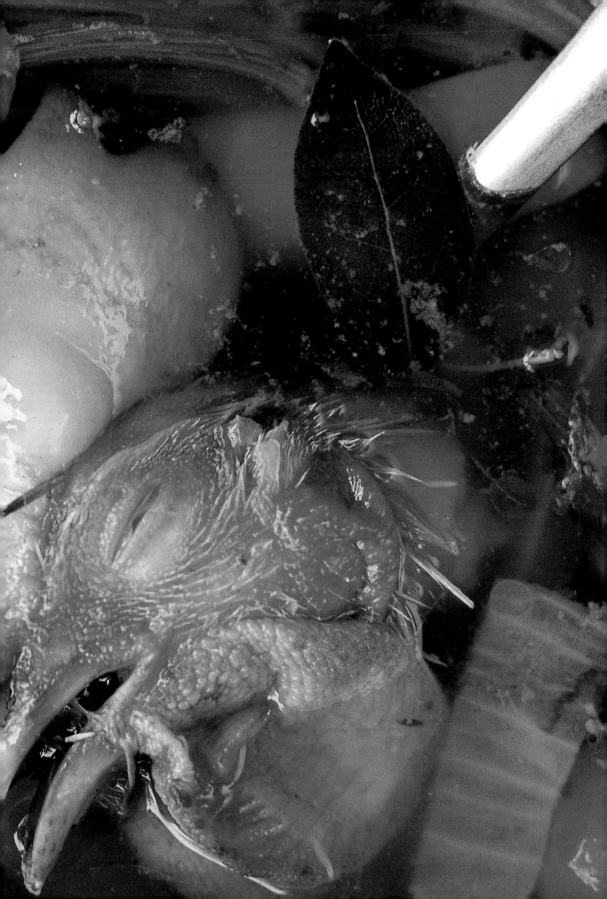

Pour 2 l de fond :
1 kg d'abattis de volaille
2 l d'eau
150 g de céleri-rave
150 g de céleri-branche
220 g d'oignons non épluchés
80 g d'échalotes épluchées
1 poireau
1 bulbe de persil épluché
2 gousses d'ail épluchées
3 feuilles de laurier
2 clous de girofle
8 baies de genièvre
4 grains de piment
10 grains de poivre noir
1 cuil. à soupe de gros sel
Quelques brins de persil
(facultatif)

Fond de volaille

Laver les abattis de volaille, les mettre dans de l'eau froide salée, porter à ébullition et écumer. Faire mijoter doucement pendant 1 heure et demie, sans enlever la graisse. Elle servira de couche protectrice une fois qu'on aura passé le fond. Ajouter les légumes, les épices et les fines herbes et faire encore mijoter une heure. Rajouter de l'eau de temps en temps pour que le niveau soit toujours le même. Passer le fond dans une passoire à gros trous et renouveler l'opération au chinois pour enlever tous les résidus. Mettre au frais jusqu'à utilisation. Se conserve au réfrigérateur une bonne semaine. Ill. pages 238–239.

Pour 8 portions :
80 g de brisures de truffes noires finement hachées
4 cl de porto rouge
2 cuil. à soupe de vinaigre balsamique
8 cuil. à soupe de vinaigre de vin rouge
5 cuil. à soupe d'huile d'olive vierge extra
7 cuil. à soupe d'huile de tournesol pressée à froid
Sel
Sucre
Poivre noir fraîchement moulu

Vinaigrette aux truffes

Faire blondir les brisures de truffes dans 2 cuillerées à soupe d'huile de tournesol et mouiller de porto rouge. Faire réduire et assaisonner de sel, de sucre et de poivre noir. Ajouter le vinaigre balsamique et le vinaigre de vin rouge, les deux huiles et mélanger doucement. C'est au bout d'une journée et servie tiède que la vinaigrette est la meilleure.

Sauce à la volaille

Pour 1 l de sauce :
2 kg d'abattis de volaille hachés
(cous et ailes)
350 g d'échalotes
100 g de carottes
150 g de céleri-branche
80 g de champignons de Paris
2 cuil. à soupe d'huile
1 cuil. à soupe de concentré de
tomates
5 gousses d'ail
2 feuilles de laurier
1/2 rameau de romarin
1/2 brin de thym
5 clous de girofle
5 grains de piment
10 grains de poivre blanc
1 cuil. à café de gros sel marin
200 ml de vin blanc sec
200 ml de madère
3 l d'eau

Hacher finement les abattis de volaille. Eplucher les légumes et les couper en dés de 5 mm. Commencer par faire revenir les abattis dans un grand fait-tout jusqu'à ce qu'ils soient brun clair. Ajouter les petits dés de légumes, les épices et les herbes et poursuivre la cuisson au four à 220°C. Lorsque les légumes sont dorés, ajouter le concentré de tomates et faire rissoler encore un peu. Mouiller de vin blanc et de madère et réduire presque complètement. Verser l'eau et laisser mijoter à feu doux pendant environ 4 heures. Passer la sauce dans un tamis à gros trous et renouveler l'opération avec un chinois.

Fond de poisson

Pour 1 l de fond :
1 kg de parures de turbot et de
sole
150 g d'oignons épluchés
1 bulbe de fenouil de 80 g
120 g de céleri-branche
2 gousses d'ail
3 feuilles de laurier
1 brin de thym
150 ml de vin blanc sec
Sel marin
10 grains de poivre blanc
1 l d'eau

Couper les parures de poisson en petits morceaux et bien les nettoyer à l'eau courante. Enlever la peau et les nageoires. Couper les légumes en dés de 5 mm et les faire blondir dans de l'huile. Ajouter les parures de poisson bien égouttées et faire légèrement revenir. Mouiller de vin blanc, ajouter les légumes et les herbes et verser l'eau. Porter à ébullition et écumer. Ajouter au choix différentes herbes aromatiques et laisser macérer 20 minutes. Passer au chinois et conserver au réfrigérateur jusqu'à utilisation.

Pour 1 l de sauce :
2 kg d'os de veau concassés
350 g d'oignons
100 g de carottes
150 g de céleri-branche
80 g de céleri-rave
2 cuil. à soupe d'huile
2 cuil. à soupe de concentré de tomates
3 gousses d'ail
3 feuilles de laurier
1 rameau de romarin
1 brin de thym
5 clous de girofle
10 grains de piment
10 grains de poivre blanc
1 cuil. à café de gros sel marin
200 ml de vin blanc sec
200 ml de madère
3 l d'eau

Jus de veau
(Sauce brune au veau)

Demandez au boucher de vous concasser les os de veau pour que toutes les substances qui se trouvent à l'intérieur puissent bien cuire. Eplucher et couper les légumes en gros dés. Commencer par faire revenir les os dans un grand fait-tout jusqu'à ce qu'ils soient brun clair. Ajouter les légumes, les épices et les herbes et poursuivre la cuisson au four à 220°C. Lorsque les légumes sont dorés, ajouter le concentré de tomates et faire rissoler quelques instants. Mouiller de vin blanc et de madère et faire réduire presque entièrement. Verser l'eau et faire cuire à feu doux 4 heures environ. Passer la sauce dans un tamis à gros trous et renouveler l'opération avec un chinois.

Pour 4 portions :
20 g d'échalotes
30 g de champignons blancs
20 g de beurre
8 cl de champagne ou de vin blanc
6 cl de porto blanc
4 cl de madère
350 ml de fond de volaille –
(voir recette Fond de volaille)
200 ml de crème liquide
150 ml de crème fraîche
Sel
Noix de muscade râpée
1 pincée de poivre de Cayenne
100 g de truffes du Périgord pelées
10 g de beurre
2 cl de madère

Sauce à la crème
et aux truffes du Périgord

Faire blondir dans du beurre les champignons émincés et les échalotes. Mouiller de champagne, de porto blanc et de madère et faire réduire presque complètement. Ajouter le fond de volaille et réduire à nouveau presque entièrement. Ajouter la crème liquide et la crème fraîche, puis la muscade et le poivre de Cayenne, faire bouillir, mélanger légèrement et passer au chinois. Couper pendant ce temps les truffes noires en tranches fines et « faire chauffer » dans un peu de beurre. Mouiller de madère et ajouter la sauce. Laisser mariner encore 5 minutes. Peu avant de servir, on peut, si on le désire, rajouter une cuillerée de crème fouettée. On sert cette sauce avec des volailles rôties, des pâtes farcies ou du veau saignant.

Gelée

Mettre la viande et les pieds de veau blanchis dans de l'eau froide additionnée d'une cuillerée à soupe de sel, et porter à ébullition. Ecumer, baisser le feu et laisser mijoter tout doucement pendant 3 heures. Ajouter les épices et les légumes et poursuivre la cuisson $3/4$ d'heure. Retirer la viande au bout de 2 heures environ et la mettre de côté pour la préparation d'un autre plat. Passer le bouillon à l'étamine et bien dégraisser. Assaisonner abondamment et mettre au frais dans un saladier. Préparer de préférence un jour à l'avance pour que la gelée puisse bien prendre. Coupée en petits morceaux, elle sert à décorer des entrées, mais on peut aussi l'utiliser pour napper des mousses. Ill. page 242.

Pour 2 l de gelée :
1 kg de bœuf (poitrine, pointe de culotte ou gîte)
400 g de pieds de veau
3 oignons non épluchés, coupés en deux et dorés
2 gousses d'ail
260 g de carottes
150 g de céleri-rave
100 g de céleri-branche
3 tomates bien mûres
1 bulbe de persil
3 feuilles de laurier
3 rameaux de livèche
Brins de persil
10 grains de poivre noir
5 grains de piment
Noix de muscade fraîchement râpée
Sel
2,5 l d'eau

Ingrédients :
Brisures de truffes noires
Un bon madère
1 pincée de sel

Brisures de truffes au madère

Saler légèrement les peaux, les extrémités et les brisures de truffes, les mettre dans un bocal et remplir de madère jusqu'à ce que les truffes soient presque entièrement recouvertes. A utiliser comme base de sauces, dans des vinaigrettes, des gelées et des farces. Garder au réfrigérateur une bonne semaine. Ill. page 246.

Pour 10 portions :
500 ml de lait
60 g de beurre
60 g de farine type 45
250 ml de crème liquide
Jus d'un demi-citron
1 oignon piqué d'1 feuille de laurier et de 2 clous de girofle
Sel
Noix de muscade fraîchement râpée

Sauce béchamel

Faire un roux blond avec le beurre et la farine. Verser le lait froid et porter à ébullition sans cesser de remuer. Ajouter l'oignon haché et laisser mijoter 30 minutes à feu doux. Remuer de temps en temps. Passer la sauce au chinois, incorporer la crème en remuant et ajouter le sel, la muscade et le jus de citron. Cette sauce sert de liant dans des potages à la crème, remplaçant ainsi la crème fraîche ou liquide. Elle peut aussi être utilisée pour lier des légumes ou des croquettes de viande.

Beurre de truffes noires

Battre le beurre dans un saladier jusqu'à ce qu'il ait pris du volume et soit devenu blanc. Faire revenir les truffes hachées dans un peu de beurre, mouiller de madère, faire réduire jusqu'à ce que la consistance obtenue soit celle d'un sirop et battre dans le beurre. Ajouter le sel et la noix de muscade fraîchement râpée et servir de suite. C'est délicieux avec du veau braisé ou de la volaille, et on peut également s'en servir pour lier des sauces.

Pour 4 personnes :
250 g de beurre sans sel
60 g de truffes noires fraîches
(ou de brisures de truffes)
finement hachées
8 cl de madère
1 pincée de sel
Noix de muscade fraîchement
râpée

Beurre de sherry en neige

Battre le beurre dans un saladier jusqu'à ce qu'il ait pris du volume et soit devenu blanc. Faire réduire le Cream Sherry dans une casserole jusqu'à ce que la consistance obtenue soit celle d'un sirop et battre dans le beurre. Ajouter le sel et la noix de muscade fraîchement râpée et servir immédiatement. Si on met le beurre au frais, il ne sera plus aussi malléable et perdra de son goût. Ill. page 243.

Pour 4 personnes :
250 g de beurre sans sel
200 ml de Cream Sherry
1 pincée de sel
Noix de muscade fraîchement
râpée

La truffe : une histoire de faux

Les variétés « Melanosporum » et « Magnatum » rapportant gros, il est bien tentant de les falsifier. La méthode la plus simple consiste à teinter en noir l'« Æstivum » en provenance d'Italie, d'Espagne ou de Yougoslavie, dont le coût est peu élevé. C'est ainsi qu'on voit surgir en un tour de main de précieux « Melanospora », vendus avec un bénéfice de 500 pour cent. Les faussaires procèdent de la même façon avec le « Terfizium Leonis », la truffe des sables d'Afrique du Nord. On augmente le poids de tubercules plutôt malingres en les bourrant de terre ou en les lestant de plombs de chasse. Et les faussaires les plus talentueux excellent à se servir de cure-dents. A partir d'un petit tubercule qui ne paie pas de mine, ils confectionnent un superbe spécimen sur lequel ils étalent un peu de terre en frottant, et hop, « voilà l'occasion exceptionnelle, à saisir, mesdames et messieurs ».

Mais c'est de Chine que vient le plus grand danger. Il s'appelle « Tuber Himalayense » et à première vue, ressemble à s'y méprendre au « Melanosporum ». Certains semi-grossistes en profitent bien, car l'« Indicum » est entre six et huit fois moins cher que la truffe du Périgord. Ne croyez pas néanmoins qu'il soit proposé sous une étiquette mensongère et lucrative. Vendu légalement, il casse – du point de vue des caveurs et des marchands de truffes – les prix du marché. Faut-il en déduire que le champignon chinois est tout aussi bon, mais beaucoup moins cher ?

Desserts
et fromages

Gelée à la Marcela

Pour 4 personnes :
1/4 l de thé noir corsé
4 cl de vieux rhum
30 g de sucre roux
2 cl de vieux porto rouge
3 feuilles de gélatine (6 g)

A quoi s'ajoutent :
100 g de crème
1/4 de gousse de vanille grattée
50 g de truffes noires
20 g de sucre roux
8 cl de vieux porto rouge

Faire chauffer le porto et y faire fondre le sucre et la gélatine ramollie. Verser dans le thé avec le rhum et remplir des verres de cette préparation. Faire prendre. Peler et couper les truffes en lames de 3 mm d'épaisseur. Faire réduire d'un quart le porto et le sucre. Mettre les truffes dans le liquide encore chaud et laisser refroidir. Fouetter la crème avec la gousse de vanille jusqu'à ce qu'elle soit à moitié ferme. Verser sur la gelée au thé, décorer avec les lames de truffes et saupoudrer d'un peu de sucre roux. Ill. pages 256/257.

Glace au mascarpone et aux truffes noires

Faire bouillir le lait avec la moitié du sucre. Battre les jaunes d'œuf avec le reste de sucre jusqu'à ce que le mélange devienne mousseux et verser dans le lait. Continuer à travailler au-dessus d'un bain-marie. Incorporer les truffes hachées et le mascarpone à la préparation bien chaude tout en remuant. Laisser refroidir. Faire prendre en crème glacée dans une sorbetière et conserver au freezer. Décorer chaque boule de glace au mascarpone de quelques lamelles de truffes noires et servir.

Pour 4 à 6 personnes :
700 ml de lait
10 jaunes d'œufs
260 g de sucre
90 g de truffes noires
300 g de mascarpone

Truffes au chocolat noir

Pour 35 truffes :
1/4 l de crème double
375 g de chocolat
(contenant 55 % de cacao)
120 g de truffes noires finement
hachées
30 g de chocolat amer
150 g de chocolat amer en poudre
80 g de sucre cristallisé

Verser la crème double dans une casserole et porter à ébullition. Retirer du feu et ajouter la truffe noire hachée. Râper finement 350 g de chocolat et verser le mélange crème double-truffes sur le chocolat. Remuer jusqu'à ce que l'amalgame soit bien lisse et forme une « ganache ». Mettre 2 heures au réfrigérateur. Former avec une poche à douille de petites boules que l'on roule à la main et remettre quelques minutes au réfrigérateur. Râper le reste de chocolat avec le chocolat noir amer et faire fondre au bain-marie. Passer les truffes l'une après l'autre dans le chocolat fondu avec une fourchette à praliné, puis les rouler dans le cacao en poudre et le sucre cristallisé. Retirer l'excédent de cacao, mettre les truffes au frais, mais pas au réfrigérateur ! Ill. pages 260–261.

Chèvre frais truffé et cuit dans une feuille de brick

Glisser une feuille de laurier dans chaque figue et mettre dans un bocal à conserves. Arroser de porto rouge et fermer hermétiquement. Laisser macérer 6 heures à température ambiante. Assaisonner le chèvre frais de copeaux de truffes, d'huile de truffe, de sel et de poivre blanc. Prendre quatre feuilles de brick, les badigeonner de jaune d'œuf et garnir de quatre autres feuilles de brick. Répartir le chèvre frais sur quatre feuilles de pâte, le placer au milieu et enrouler en formant des cornets. Badigeonner à nouveau de jaune d'œuf et faire cuire dans un four préchauffé à 210°C jusqu'à ce qu'ils soient dorés. Disposer aussitôt sur quatre assiettes et servir avec une figue par cornet.

Pour 4 personnes :
200 g de chèvre frais
10 g de truffe blanche
Quelques gouttes d'huile de truffe blanche
Sel
Poivre blanc
8 feuilles de brick
1 jaune d'œuf pour dorer
4 figues bien mûres
4 feuilles de laurier
2 cuil. à soupe de porto rouge

Pour 4 personnes :
200 g de grosse semoule de maïs
1 l d'eau
20 g de beurre
Sel
Noix de muscade fraîchement râpée

A quoi s'ajoutent :
2 robiola frais (fromage frais italien)
1 rameau de romarin
30 ml d'huile d'olive supérieure
Gros sel marin
Poivre noir concassé
40 g de truffes blanches

Robiola en croûte de polenta et aux truffes blanches

Faire bouillir l'eau additionnée de sel et de beurre. Jeter en pluie la semoule de maïs et faire cuire à feu doux 1 heure et demie sans cesser de remuer (la semoule ne doit pas attacher). Assaisonner la polenta et la verser encore tiède sur le robiola frais. Laisser épaissir et couper en tranches d'1 cm d'épaisseur. Faire chauffer l'huile d'olive avec quelques aiguilles de romarin et verser sur les tranches de robiola. Saupoudrer de gros sel marin et de poivre concassé. Parsemer pour finir de copeaux de truffes blanches.

Castelmagno au miel de truffe

Pour 4 personnes :
250 g de castelmagno
(fromage de pays sec)
ou de tuma
(60 g environ par personne)
80 g de miel de truffe
(on peut en acheter en saison
dans le Piémont
et dans diverses épiceries fines)
10 g de truffe blanche
30 g de cerneaux de noix ou de
pignons de pin
légèrement grillés

Couper, ou mieux, casser le castelmagno en petits morceaux et arroser de miel de truffe. Verser ensuite les cerneaux de noix légèrement grillés et la truffe blanche sur le fromage. Un plat fromager qu'on devrait absolument goûter à la saison des truffes. Ill. page 269.

Fondue aux truffes blanches

Pour 4 à 6 personnes :
400 g de fontina
200 ml de lait frais
80 g de beurre en morceaux
5 jaunes d'œufs
Un peu de noix de muscade
fraîchement râpée
60 à 80 g de truffes blanches

Enlever la croûte du fromage et le couper en dés d'1 cm. Le faire ramollir dans du lait pendant la nuit. Faire fondre les dés de fromage avec le beurre et la moitié du lait au bain-marie. Incorporer progressivement les jaunes d'œufs et délayer jusqu'à obtenir une pâte homogène. Assaisonner de noix de muscade et servir dans des assiettes creuses en parsemant de copeaux de truffes. Une variante consiste à faire légèrement griller une tranche de pain blanc frottée avec un peu d'ail, à la servir dans une assiette avec un œuf poché et à napper le tout de fondue.

... Ogni tanto alza
il capo annusando
nell'aria... gli pare
che arrivi dal
buio una punta
di colore terroso,)
tartufi...

Une truffe
est une truffe
est une truffe...

Pour le commun des mortels, la truffe n'est peut-être qu'un mot de six lettres. L'amateur, quant à lui, fait déjà une distinction entre deux sortes de truffes, la blanche et la noire.

Il y en a en vérité bien davantage. Le terme générique latin « tuber » recouvre peut-être une douzaine de variétés, dont bien peu en revanche présentent un intérêt pour le gourmet. En voici un petit aperçu.

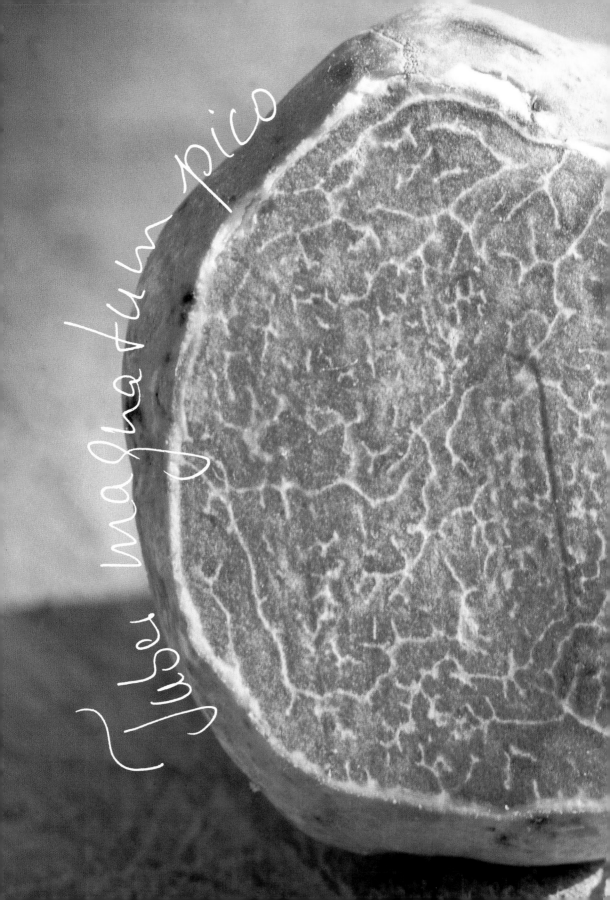

Tuber magnatum pico

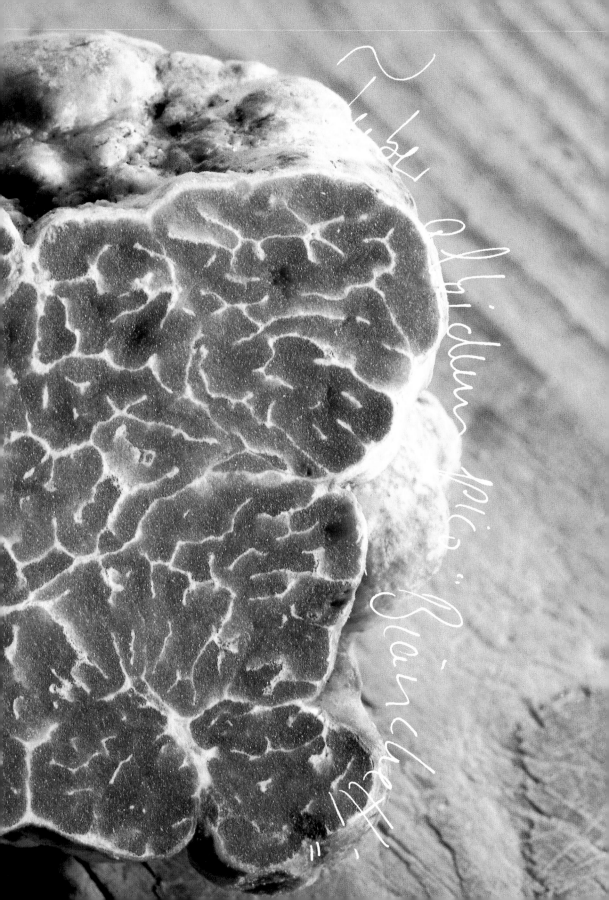

Tuber magnatum pico

L'auteur est un francophile avéré, pourtant, s'il avait à choisir, il opterait pour une truffe blanche, même si la noire venait du Périgord. Pourquoi ? Tout simplement parce que de toutes les truffes, c'est la « Tuber magnatum » qui a le parfum et la saveur les plus envoûtants. Avis que ne partagent pas tous ses contemporains. C'est ainsi qu'au Piémont, l'odeur intense de la truffe « Magnatum » fait qu'il est interdit d'en avoir avec soi quand on prend le train. C'est entre la fin octobre et la fin décembre qu'elle arrive à pleine maturité. La truffe blanche pèse environ 80 g, mais elle peut atteindre le kilo. Elle est d'un blanc brunâtre et a une peau relativement lisse (le péridium). La couleur de sa chair, qui va du noisette au crème, dépend de l'arbre avec lequel elle vit en symbiose. C'est du reste la variété dans laquelle celui-ci se reflète avec le plus d'évidence. De fait, on récolte les meilleurs tubercules entre les racines des chênes et des tilleuls. Mais on ne les trouve malheureusement qu'au Piémont, même si on en découvre peut-être encore quelques-uns en Lombardie, en Vénétie, en Emilie-Romagne et dans les Marches, près d'Aqualagna. La production annuelle n'est actuellement que de 25 tonnes, ce qui explique sa rareté et son prix élevé, voire très élevé. Un conseil : coupez les truffes en lames très fines ou râpez-les, mais pas trop, sinon la truffe s'effrite et perd de son goût ! Voir ill. page 272.

Tuber melanosporum vittadini

Mûre, elle est d'un noir profond et sa taille varie entre celles d'un œuf et d'une pomme. Extérieurement, elle est uniformément parsemée de petites protubérances. Sa chair violette presque noire est sillonnée de très fines veinules blanches. Elle atteint sa maturité optimale entre la fin novembre et mars. Si elle présentait une peau rougeâtre, cela voudrait dire qu'elle n'est pas encore mûre et ne vaut donc pas son prix.

Elle a un parfum puissant et envoûtant. La « Melanosporum » est aussi communément appelée Truffe du Périgord. Ce qui est un peu trompeur, car cette espèce est encore beaucoup plus répandue en Espagne et en Italie. Au total, ce sont environ 75 tonnes de truffes noires qui sont récoltées chaque année. C'est toutefois la truffe française, spécialement celle du Périgord, qui se vend le plus cher. En Italie, les principales régions truffières sont l'Ombrie (Spolète, Norcia, L'Aquila) et les Marches (Aqualagna). Un pourcentage non négligeable de cette production est destiné à la consommation des Français fervents amateurs de truffe noire. Voir ill. page 276.

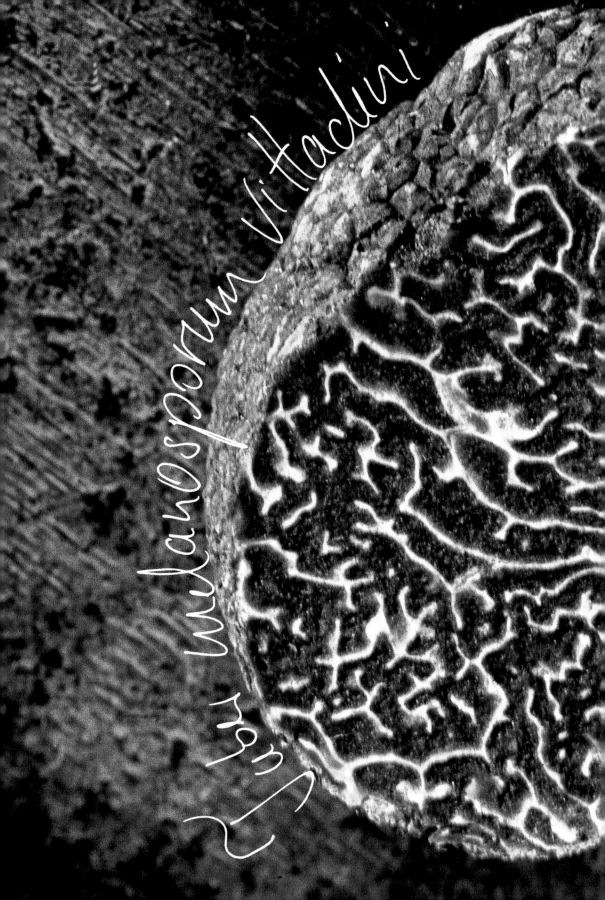

Lfm melanosporum vittadini

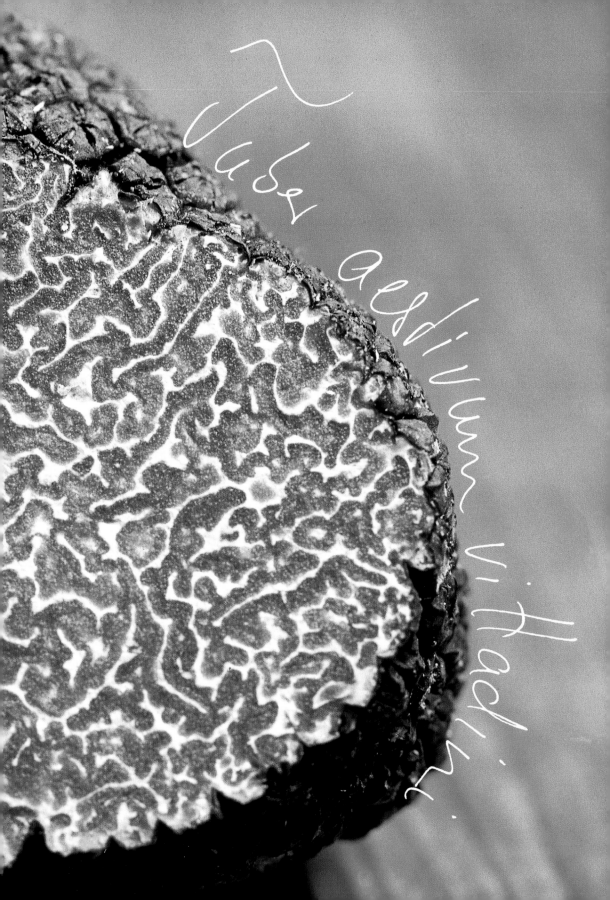

Tuba aestivum vittad.

La truffe, une affaire d'honneur

C'est une indifférence condescendante qu'affectent pour la plupart Italiens et Français quand on aborde le thème de la truffe à propos du pays voisin. Les Italiens ne connaissent que le Périgord et gardent le silence sur les autres régions. Quant aux Français, s'ils évoquent la « Magnatum », c'est pour s'en tenir aussitôt à des circonlocutions du type « très appréciée des Italiens » ou encore « très, très chère », ce qui leur épargne de devoir se prononcer sur une comparaison de saveurs.

Tuber æstivum vittadini

C'est la variété de truffe la plus répandue, et on en récolte tous les ans une centaine de tonnes en Europe. Comme son nom l'indique, c'est à la saison chaude qu'on gratte la terre pour en extraire cette truffe. Sous sa peau noire se dissimule un intérieur beige jaunâtre. On la trouve principalement en Espagne, en France et en Italie, mais également dans le sud de l'Allemagne autour de Baden particulièrement. Elle est beaucoup plus avantageuse du point de vue du prix, ce que justifie sa qualité. Voir ill. page 277.

Tuber macrosporum vittadini

C'est une truffe de qualité nettement supérieure à la précédente. On n'en récolte que 2 grosses tonnes par an, ce qui la rend pour ainsi dire introuvable dans le commerce. Elle présente un aspect rouge brun, presque lisse, est petite avec une chair pourpre. Une véritable curiosité qu'on ne trouve que dans le nord de l'Italie et là, seulement sur la table de quelques particuliers.

Tuber uncinatum

Moins précieuse, mais un peu moins rare est la Tuber uncinatum. En quoi elle se distingue véritablement de l'« Æstivum », c'est la question qui oppose les experts. Les Bourguignons s'obstinent bien entendu à voir en elle une variété autonome. Le langage populaire ne l'appelle-t-il pas « truffe de Bourgogne » ? Et cela, bien que son appellation de truffe ait fait l'objet d'une mesure d'interdiction. Le fait qu'elle supporte un climat un peu plus froid explique qu'on ait essayé de la cultiver en Champagne et en Lorraine. Elle est savoureuse, mais seulement quand on vient de la récolter.

Tuber brumale vittadini

L'amoureux de la truffe a un rapport plutôt mitigé avec cette truffe. Voyons d'abord la bonne nouvelle. Si on attrape la bonne truffe (pas le sous-produit « rufum », exécrable celui-là), on verra qu'elle a un goût tout à fait correct. Maintenant la mauvaise. Elle ressemble à s'y méprendre à la « Melanosporum », à laquelle elle fait du reste concurrence au niveau de son espace vital. Quand des trufficulteurs aménagent un terrain, ils ne redoutent rien davantage que la « Brumale ». Pourtant, elle sait aussi se montrer reconnaissante, c'est ainsi qu'il lui arrive de prendre le relais du précédent « locataire » et d'élire domicile chez l'ancien symbiote de la « Melanosporum ».

Tuber albidum pico

Appelée en Italie simplement « Bianchetti », à cause de sa peau blanche et de sa toute petite taille, elle pousse du printemps au début de l'été dans l'Emilie-Romagne, à peu près jusqu'à la hauteur de Naples. Elle est considérée comme la « truffe des pauvres », et on essaie énergiquement de la lancer sur le marché. Son goût corsé est plutôt indiqué pour assaisonner les plats, même si les marchands veulent lui attribuer d'autres qualités. Voir ill. page 273.

Tuber rufum pico

Appelée aussi truffe rouge, elle se rencontre dans toute l'Italie, en France et en Espagne. Mais cette truffe, peu digeste, n'est pas commercialisée. Voir ill. ci-contre.

Tuber excavatum vittadini

Elle doit son nom à un creux qu'elle a dans la chair, mais on l'appelle aussi « truffe de bois ». Elle a un goût fortement alliacé et se digère difficilement.

Pour améliorer sa culture générale ou par souci d'expérimentation, on peut être tenté de goûter ces dernières truffes. Mais un conseil, si vous n'avez pas de temps à perdre, tenez vous-en à la « Magnatum » et à la « Melanosporum ».

Le transport et la conservation

Le transport et la conservation sont une affaire plutôt délicate. La truffe étant constituée de 73 % d'eau, elle « s'évapore » ou perd environ 5 % de son poids tous les jours. On tente donc d'enrayer ce phénomène par tous les moyens.

On emballe la truffe dans du papier absorbant, on l'introduit dans un bocal hermétiquement fermé que l'on place dans le réfrigérateur. Il faut changer le papier au moins une fois par jour pour que la truffe reste sèche, qu'elle ne moisisse ni ne pourrisse. Une méthode ancienne mais efficace consiste à enrober la truffe de cire, ce qui empêche toute perte d'humidité, mais aussi de parfum. Cet usage avait cours au XVIe siècle pour acheminer ces petits « bijoux » blancs d'Italie et les déposer intacts à la cour de France. Blanche ou noire, la truffe peut se conserver de trois jours à une semaine. Mais c'est bien fraîche qu'elle est la meilleure.

...A quest'ora ciascuno dovrebbe fermasi
per la strada e guardare come tutto maturi.
C'è persino una brezza, che non smuove
le nubi, ma che basta dirigere il fumo
azzurino senza romperlo: è un nuovo sapore
che passa. E il tabacco va intinto di grappa.
È così che le donne non saranno le sole
a godere il mattino.

Textes de Colette et traduction française des textes de Cesare Pavese

Colette
Prisons et paradis
© Librairie Arthème Fayard, 1986

Cesare Pavese
La Luna e i Falio
© Giulio Einaudi Editori, 1950

Cesare Pavese
Racconti
© Giulio Einaudi Editori, 1961

Cesare Pavese
Poesie
© Giulio Einaudi Editori, 1961

Page 3   ...Tout est mystère, magie, sortilège, tout ce qui s'accomplit entre le moment de poser sur le feu la cocotte, le coquemar, la marmite et leur contenu, et le moment plein de douce anxiété, de voluptueux espoir, où vous décoiffez sur la table le plat fumant...
Colette : Extrait de *Prisons et paradis*. © Librairie Arthème Fayard, 1986

Page 42   ... et ils revenaient pleins de boue et morts de fatigue, mais chargés de perdrix, de lièvres et de gibier...
Cesare Pavese : Extrait de *La lune et les feux* (p. 106). © Gallimard, trad. de Michel Arnaud, 1965. Coll. L'Imaginaire, 1989

Page 94   [... je comprenais que tout n'était pas perdu, qu']il y a des choses dont il suffit qu'elles existent et qu'on est heureuxx de le savoir...
Cesare Pavese : Extrait de *Nuit de fête*, nouvelle « Histoire secrète » (p. 512). © Gallimard, 1972, trad. de Pierre Laroche

Page 116   ... j'avais l'impression [de rentrer dans la cuisine de la Mora et] de revoir les femmes râper du fromage, pétrir, farcir, soulever un couvercle et allumer le feu, et cette saveur me revenait à la bouche...
Cesare Pavese : Extrait de *La lune et les feux* (p. 89). © Gallimard, trad. de Michel Arnaud, 1965. Coll. L'Imaginaire, 1989

Page 156   ... On dit dans mon pays natal, que pendant un bon repas, on n'a pas soif, mais bien « faim de boire »...
Colette : Extrait de *Prisons et paradis*. © Librairie Arthème Fayard, 1986

Page 233   ... C'est la plus capricieuse, la plus révérée des princesses noires. On la paie son poids d'or...
Colette : Extrait de *Prisons et paradis*. © Librairie Arthème Fayard, 1986

Page 268   ... Par moments, il redresse la tête humant l'air : il lui semble qu'arrive dans le noir une pointe d'odeur de terre, de truffes qu'on ramasse...
Cesare Pavese : Poème « Paysage II » extrait de *Travailler fatigue* (pp. 39-40). © Gallimard, trad. de Gilles de Van, 1969. Coll. Poésie/Gallimard, 1989

Page 284   ... Il faudrait que chacun, à cette heure, s'arrête
dans la rue et regarde comme tout mûrit.
Il y a même une brise, qui n'ébranle pas les nuages,
mais suffit à diriger la fumée
bleuâtre, sans la rompre : saveur nouvelle qui passe.
Et le tabac doit être trempé dans du marc. Les femmes alors
ne seront plus les seules à jouir du matin...
Cesare Pavese : Poème « Marc en Septembre » extrait de *Travailler fatigue* (p. 103). © Gallimard, trad. de Gilles de Van, 1969. Coll. Poésie/Gallimard, 1989

Table des illustrations :

Remerciements

Mariuccia et Piercarlo Ferrero du Ristorante San
Marco de Canelli, pour la générosité avec laquelle
ils nous ont offert leur amitié, leur patience et nous
ont prodigué leurs conseils. Carlo Marmo, qui ne fut
pas seulement un compagnon zélé, mais est devenu
depuis ces jours passés ensemble un ami pour la vie.
Tine et Hannes du Périgord, pour la spontanéité
amicale avec laquelle ils ont mis à notre disposition
gîte, couvert et jardin.
Nous voudrions remercier encore Carlo Prazzo,
Roberto Scarsi, Ferdinando Marino, Giovanni et
Gian Paolo-die Trifülau, Domenico, Piero Balestrino,
la Cooperativa de Cossano Belbo, Gruppo Urbani
Tartufi de San Anatolia di Narco, Claude Lalot de
Sainte-Alvère et Robert Pouliquen de Bergerac pour
leur aide, leur collaboration et leur hospitalité.
Nous remercions bien entendu également tous ceux
qui, directement ou indirectement, nous ont aidés à
réaliser ce livre.